너도 할 수 있어!
아이패드
영문캘리그라피
with 프로크리에이트

너도 할 수 있어! 아이패드 영문캘리그라피 with 프로크리에이트
기초 5종 영문캘리부터 굿즈디자인까지

발 행 | 2024년 07월 04일
저 자 | 휘화
펴낸이 | 한건희
펴낸곳 | 주식회사 부크크
출판사등록 | 2014.07.15 (제2014-16호)
주 소 | 서울특별시 금천구 가산디지털1로 119 SK트윈타워 A동 305호
전 화 | 1670-8316
이메일 | info@bookk.co.kr

ISBN | 979-11-410-9325-9

www.bookk.co.kr

※본 책에는 한국출판인회의에서 제공하는 Kopub서체, 신라고딕, 제주고딕, 국립박물관문화재단클래식체, Tmon몬소리체, 나눔고딕이 사용되었습니다.

너도 할 수 있어! 아이패드 영문캘리그라피 with 프로크리에이트

기초 5종 영문캘리부터 굿즈디자인까지

휘화 지음

Love yourself first

| Prologue |

세상 쉽게 쓰는
아이패드 영문캘리그라피

마음을 움직이는 글귀들을 천천히 캘리그라피로 써 내려가다보면, 심신이 평화로워지는 느낌이 듭니다. 저에게 캘리그라피는 마음이 꺼져가던 때 불꽃으로 찾아와 주었어요. 온종일 한글, 영문 등 좋은 글귀들을 써보며 마음을 다스리기 시작했습니다. 그러다 아이패드 캘리그라피를 접하게 되면서 난관에 맞닥뜨리게 되었죠.다양한 영문 서체들을 아이패드로 써보고 싶은데 그에 맞는 방법을 찾지 못해 막막했습니다. 어느날, 골똘히 연구한 끝에 서체별 영문캘리 전용 디지털 브러쉬를 제작하게 되었습니다. 독학 캘리그라피로 시작하여 디지털 영문캘리그라피에 이르기까지, 제가 겪었던 시행착오들을 여러분들은 건너 뛰었으면 하는 마음에 이 책을 쓰게 되었답니다.

아날로그 감성 영문 손글씨 캘리그라피를 아이패드로도 표현하고 싶지 않으신가요? 영문 캘리그라피 잘 쓰고 싶은데 너무 어렵게 느껴져 디지털 영문캘리그라피는 엄두도 내지 못하고 있지 않으신가요? 재료비가 부담되어 영문캘리그라피를 망설이고 계신가요? 손글씨 쓰듯 애플펜슬로 영문 캘리그라피를 아름답게 써내려가는 기쁨, 함께 나눠봅시다. 아이패드, 애플펜슬, 그리고 한 번의 구매로 평생 사용 가능한 프로크리에이트 앱만 있다면 디지털 영문캘리그라피 준비는 끝! 아이패드 영문캘리그라피만의 장점은 재료 낭비 없이, 디지털 캔버스와 전용 브러쉬로 영문캘리를 무한 반복 연습 할 수 있다는 것입니다.

이 책에서 배울 5가지 영문캘리그라피 서체는 모노라인, 모던, 이탤릭, 고딕, 카퍼플레이트체입니다. 단계별로 5종 영문서체를 아이패드에 잘 쓰는 방법, 최적의 레이아웃 구성방식, 응용 영문 캘리 장식체 쓰는 법, 디지털 영문캘리 파일로 감성 굿즈 만들기까지 등 친절히 알려드릴거예요. 처음 쓴 영문캘리가 마음에 들지 않더라도 좌절하지 마세요. 네이버 카페 '그디플'에 가입하여 영문캘리 가이드 자료, 커스텀 영문캘리 브러쉬세트를 다운 받아 꾸준히 연습해보세요. 어느새 멋지게 영문캘리그라피를 하는 나를 발견하게 될거예요. 이 책 하나 만으로 디지털 영문캘리와 더불어 아날로그 캘리그라피 실력 또한 쌓으실 수 있을 것입니다.

| Contents |

프로크리에이트 영문캘리 시작하기

영문캘리그라피 서체 알아가기

Part 3

영문캘리그라피에 장식 더해보기

Part 4

나만의 영문캘리 굿즈 & 디자인하기

PART 01

프로크리에이트 영문캘리 시작하기

아이패드와 애플펜슬, 프로크리에이트 앱,
전용 브러쉬 설치 만으로
디지털 영문캘리그라피를
쉽게 시작해보아요.

프로크리에이트 기본 기능

프로크리에이트의 다양한 기능들을 익히고 이를 활용하여 디지털 영문캘리그라피에 발을 들여봅시다. 재료 걱정 없이, 언제 어디서나 아이패드와 애플펜슬로 영문캘리그라피 취미를 즐길 수 있답니다.

01. 새로운 캔버스 만들기

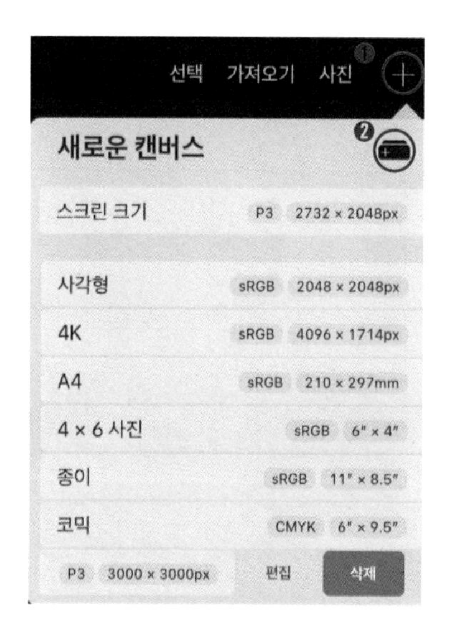

① 프로크리에이트 첫 갤러리 화면 우측에 있는 십자모양 아이콘을 클릭하여 새로운 캔버스 창을 엽니다. 다양한 사이즈의 캔버스 목록들이 보입니다. 각 캔버스 항목을 왼쪽으로 넘기면 캔버스를 편집하거나 삭제 할 수 있습니다.

② 원하는크기의 캔버스를 생성하고 싶으면, 십자 아래 네모난 아이콘을 클릭합니다.

- 사용자지정 캔버스 만들기

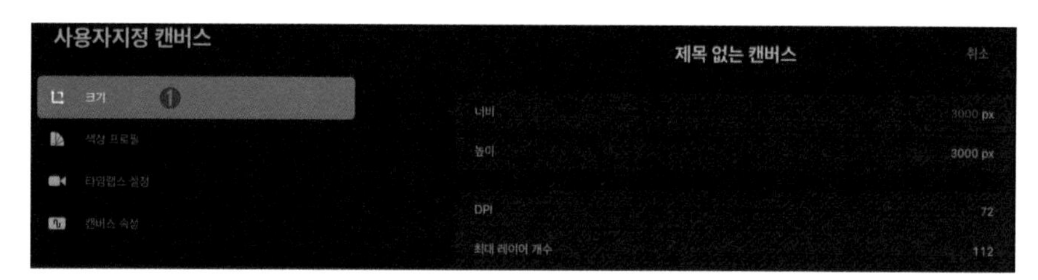

① **크기**: '**제목 없는 캔버스**'를 눌러 캔버스 이름을 정합니다. 캔버스 사이즈는 '너비', '높이' 탭에서 조정할 수 있습니다. DPI는 캔버스 해상도를 나타냅니다. 웹용은 '72dpi', 인쇄용은 '300dpi' 정도로 설정합니다. 최대 레이어 개수는 캔버스의 크기와 해상도에 따라달라 집니다. 캔버스 크기, 즉 dpi가 커질수록, 최대 레이어 개수는 줄어들게 됩니다. 캘리 연습용으로는 '스크린 크기' 캔버스를 추천합니다.

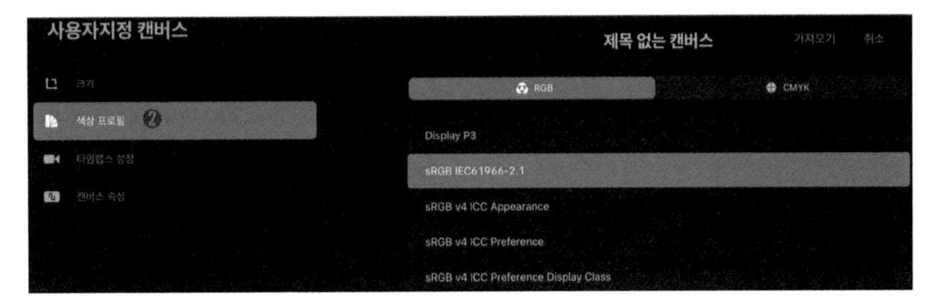

② **색상 프로필**: 웹용은 'RGB', 인쇄용으로는 'CMYK' 모드를 선택합니다. RGB의 경우 Display P3이나 sRGBIEC61966-2.1를, CMYK일 때에는 Generic CMYK Profile를 주로 사용합니다.

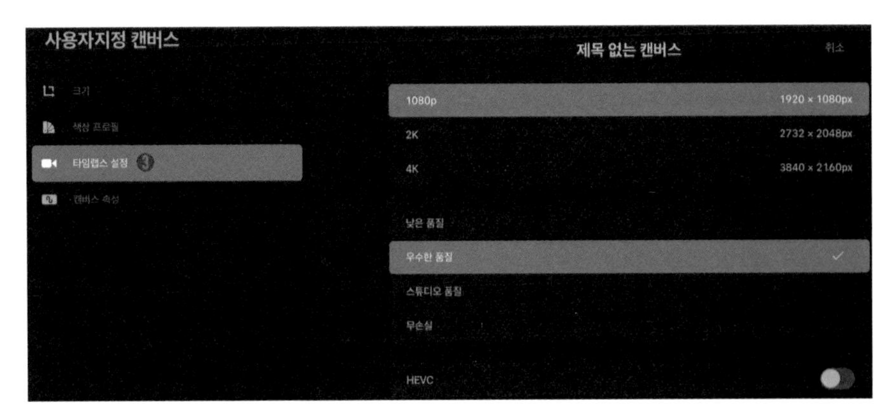

③ **타임랩스 설정**: 작업 창작 영상을 빨리 감기처럼 녹화해 주는 기능입니다. 동영상의 화소와 품질을 설정할 수 있습니다. 고품질 영상을 만들고 싶다면 **'스튜디오 품질'**이나 **'무손실'**을 택하면 됩니다. 'HEVC'는 초고화질 영상을 다루는 코덱이나, 호환성이 떨어져 잘 사용하지 않습니다. 새 캔버스를 만들 때에만 동영상의 화질을 정할 수 있고 중간에 바꿀 수 없으니 주의하세요.

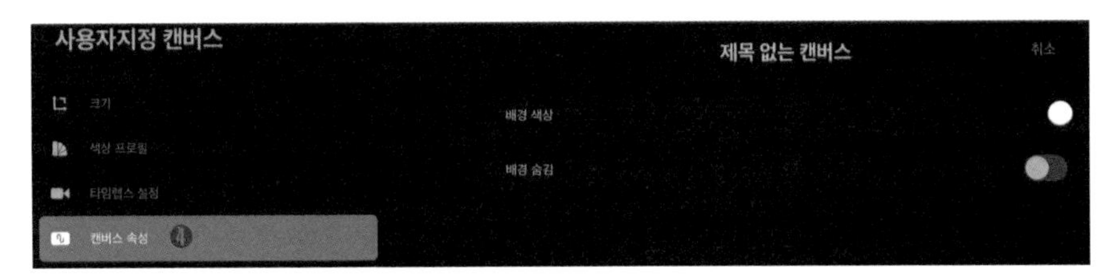

④ **캔버스 속성**: 캔버스 배경 색상을 원하는 색으로 설정할 수 있습니다. **'배경 숨김'**을 눌러 배경을 투명하게 png처럼 만들 수도 있습니다.

02. 인터페이스 알아보기

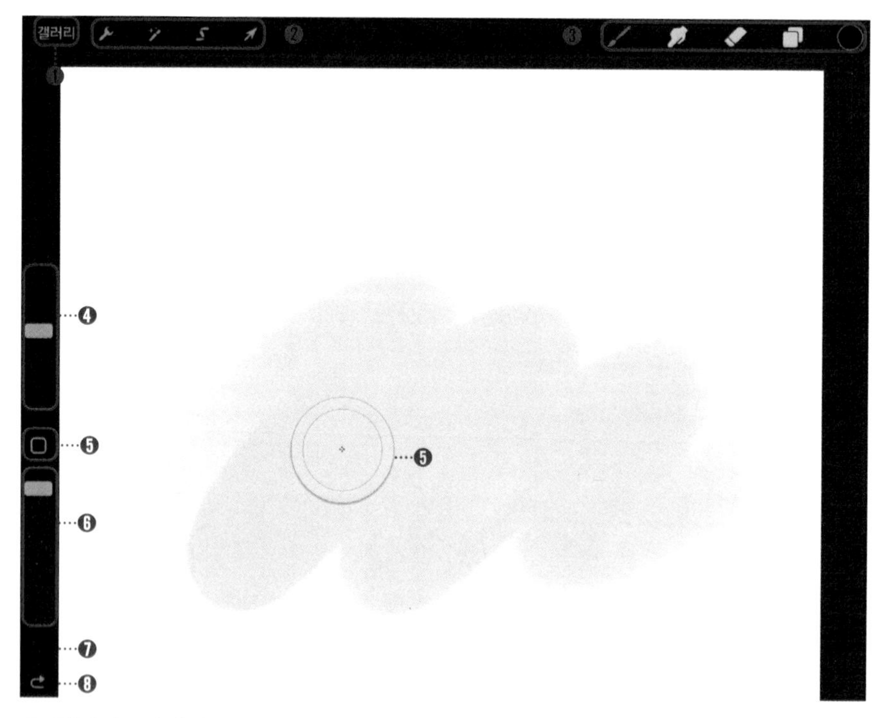

① **갤러리**: 갤러리를 누르면 프로크리에이트 갤러리 첫 화면으로 돌아갑니다. 작업 중 갤러리를 터치하면 작업물은 자동 저장됩니다.

② **편집 툴**: 동작, 조정, 선택, 변형 기능으로써, 작업물을 편집, 수정할 때 사용하는 탭 입니다.

③ **그리기 툴**: 창작에 필요한 브러시, 문지르기, 지우개, 레이어, 색상 기능 도구 모음 탭입니다.

④ **크기 조절 바**: 브러시, 문지르기, 지우개 도구의 크기를 조절합니다.

⑤ **네모 수정 버튼**: 스포이드로 기본 설정이 되어있습니다. 원하는 색상을 한 손가락으로 눌러주면 동그란 컬러 피커가 나타납니다. 기본 설정 외에 다른 기능으로 쓰고 싶을 경우, 동작-설정 탭의 제스처 제어에서 변경 가능합니다.

⑥ **불투명 조절 바**: 브러시, 문지르기, 지우개 도구의 불투명도를 조절합니다.

⑦ **실행 취소**: 진행 중이던 작업을 취소합니다. (= 손가락 두 개로 터치)

⑧ **되돌리기**: 취소했던 작업으로 다시 되돌아갑니다. (= 손가락 세개로 터치)

- 동작 편집툴 살펴보기

① **추가**: '파일, 사진, 텍스트'를 캔버스에 넣을 수 있습니다. 또한 선택된 레이어를 자르거나 캔버스 이미지 자체를 복사하여 다른 레이어에 붙여넣을 수 있습니다.

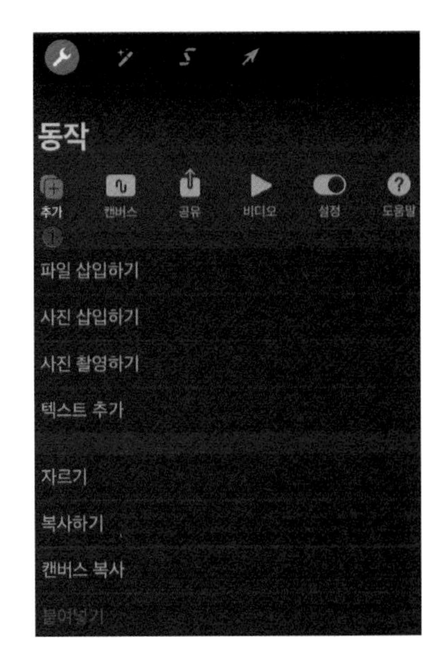

② **캔버스**: 작업 중인 캔버스에 변화를 줍니다. 캔버스를 원하는 크기로 잘라내거나 해상도를 수정할 수 있습니다. 캔버스의 이미지를 수평, 수직으로 뒤집을 수도 있습니다.
'그리기 가이드'를 키면 **'기본 2D 그리드'**가 나타나게 되는데, 균형잡힌 이미지를 만들 수 있게 해줍니다. 다른 가이드를 사용하기 위해서는 그리기 가이드를 활성화 한 상태에서 편집을 눌러 조정합니다. **'페이지 보조'** 기능 탭은 기존 세로로 정렬되는 레이어와는 다르게 캔버스 하단에 가로로 레이어들을 보여줍니다. **레퍼런스**를 활성화 할 경우, 참고이미지를 보면서 작업을 진행할 수 있습니다. 움직이는 GIF 이미지 생성을 위해 **'애니메이션 어시스트'**를 활성화합니다.

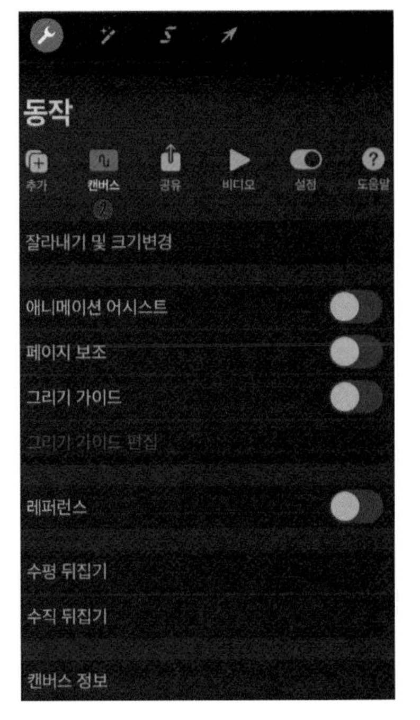

③ **공유**: 이미지를 다양한 형식으로 저장할 수 있습니다. 'JPEG' 이미지로 저장을 많이 합니다. 투명 배경 이미지는 흰색 배경 레이어를 해제 후, 'PNG'로 저장합니다. Procreate 포맷으로 저장 시, 프로크리에이트에서만 사용하능합니다. 'PSD'는 포토샵 전용 파일로써, 프로크리에이트로 작업한 파일을 포토샵에서 다루고자 할 때 사용합니다. 'PDF'는 작업물을 인쇄하기 위해 필요한 문서 파일입니다. 'TIFF'는 무손실 압축 파일로 고품질 인쇄에도 쓰는 파일입니다.
이미지뿐만 아니라 '**레이어 단위**'로 PDF, PNG파일을 만들 수 있습니다. 움직이는 이미지 형식으로도 저장 가능합니다.

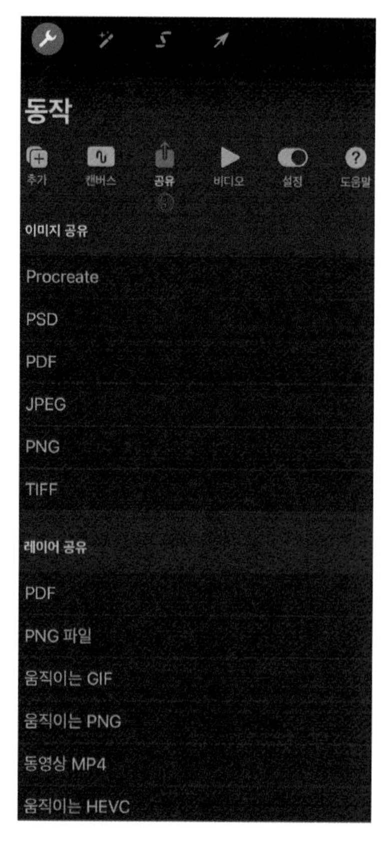

④ **비디오**: '타임랩스 녹화'를 활성화 하여 작업 과정을 영상으로 남깁니다. '**타임랩스 다시 보기**'를 눌러 작업 과정 영상을 재생합니다. 작업 영상을 동영상 파일로 만들고 싶으면, '**타임랩스 비디오 내보내기**'를 터치하면 됩니다.

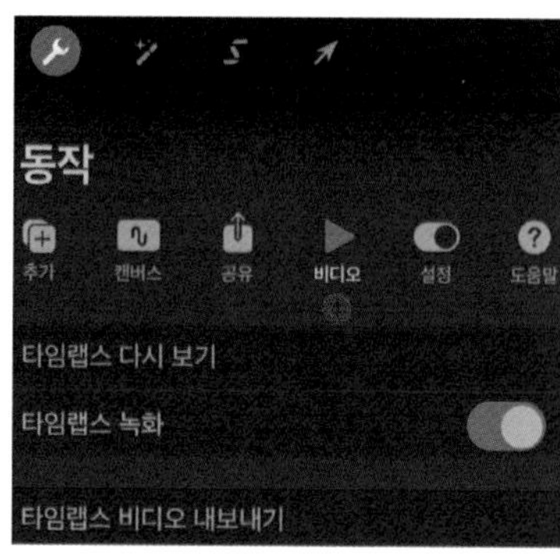

⑤ **설정**: 나에게 맞는 프로크리에이트 인터페이스를 설정합니다. '**밝은 인터페이스**' 터치 시 검은 창이 밝게 변합니다. '**오른손잡이 인터페이스**'에서는 사용자에게 편한 사이드 바 위치를 정할 수 있습니다. '**유동적인 브러시 크기 조정**' 탭을 활성화하면 캔버스 크기에 관계없이 브러시 크기를 유지시켜 줍니다. 프로크리에이트 작업 화면을 PC 모니터로 보고 싶을 때 '**프로젝트 캔버스**'를 활성화합니다. **브러시 커서** 기능을 켜 사용 중인 브러시 모양을 확인합니다. '**압력 및 다듬기**'에서는 그래프 선을 움직여 브러시의 필압을 조절합니다. '**제스처 제어**'는 손가락과 애플 펜슬의 움직임을 조절하여 작업을 보다 편리하게 합니다.

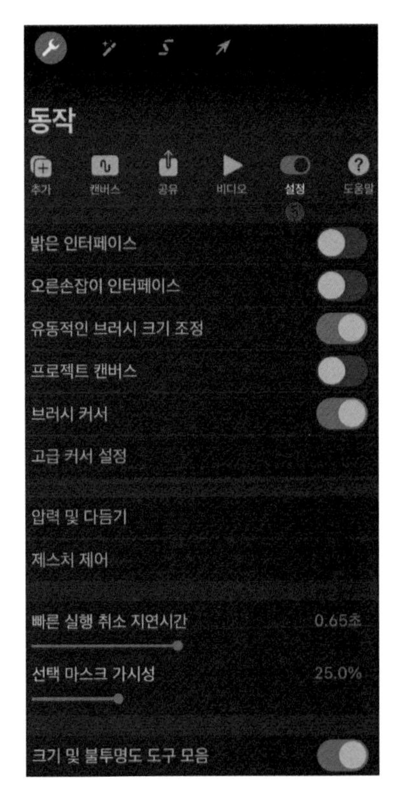

- 제스처 제어

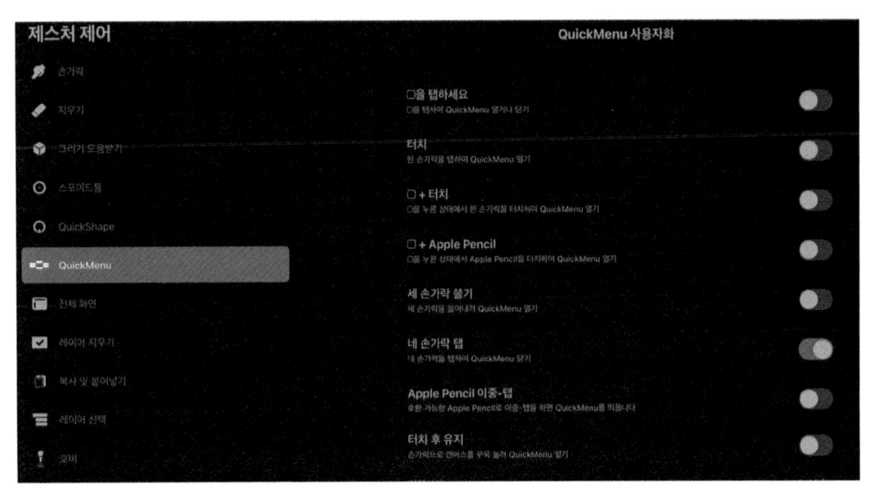

① **QuickMenu 사용자화**: QuickMenu에서 나에게 편한 방식으로 프로크리에이트 세팅을 합니다.

② **QuickMenu 실행하기**: 설정한 동작을 작업 중 실행하면 캔버스 위에 QuickMenu가 나옵니다. 각 버튼을 꾸욱 눌러 원하는 기능으로 바꿀 수 있습니다.

- 조정툴 살펴보기

① **색상 조정**: 아트워크의 색조, 채도, 밝기 등을 조정합니다. 색상 균형 탭이나 곡선 탭에서 색을 조정할 수도 있습니다. **변화도 맵**에서는 특정 분위기에 맞는 색상 선택이 가능합니다.

② **흐림 효과**: '가우시안 흐림 효과'는 작업물을 흐릿하게 만들어 줍니다. '**움직임 흐림 효과**'는 방향성을 띤 흐림 효과를 나타냅니다. '**투시도 흐림 효과**'는 동그란 원 초점 주변부로 흐림을 적용합니다.

③ **효과 필터**: 이미지에 다양한 효과들을 주어 색상을 입체감있게 해 줍니다.

④ **그 외 조정 효과**: '픽셀 유동화'는 이미지에 왜곡을 주어 형태를 변형하게 합니다. '복제' 기능은 복사하고 싶은 부분에 원을 두고 빈 영역을 문질러 일부분 복제가 가능하게 합니다.

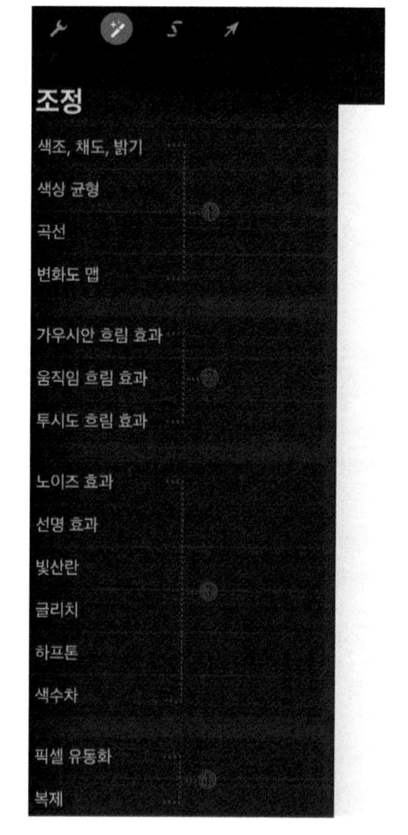

- 선택툴 살펴보기

4가지 선택 툴 중 하나를 정하여 변경하고 싶은 부분의 영역을 만듭니다. 각 선택 툴 당 8개의 하위 메뉴를 적절히 사용하여 선택 영역에 변화를 줍니다. 선택 툴 중 하나를 고른 후, 화살표 변형 툴을 눌러 애플 펜슬로 선택 영역을 움직일 수 있습니다.

① **자동**: 자동을 클릭 후 원하는 영역을 펜슬로 터치하면 그 부분이 선택되어 보색으로 나타납니다. 이후 펜슬을 좌우로 움직여 선택 한계값을 조정합니다.

② **올가미**: 올가미 도구를 사용하여 변경이 필요한 부분 주변을 애플 펜슬로 그리면, 선택 영역이 점선으로 보여지게 됩니다.

③ **직사각형**: 직사각형 모양의 점선 박스로 원하는 부분을 지정합니다.

④ **타원**: 선택 영역이 타원 모양으로 보여집니다.

- 변형툴 살펴보기

선택 영역을 다른 위치로 옮기거나 크기, 모양, 기울기 등을 변형합니다. 스냅이나 자석을 활성화하여 이미지의 위치를 더욱 세밀히 조정 가능합니다.

① **자유형태**: 작업물 비율을 지키지 않고 가로와 세로 길이를 바꿀 수 있습니다.

② **균등**: 작업물 비율을 지켜 크기를 변경합니다.

③ **왜곡**: 선택 영역 끝의 파란 점을 드래그 하여 이미지에 기울기를 줍니다.

④ **뒤틀기**: 선택 영역 파란 점들을 움직여 이미지를 뒤틉니다. 하위 메뉴인 '**고급 메쉬**' 탭에서 중심 점들을 움직여 세밀하게 이미지 모양을 조정할 수 있습니다.

- 레이어 만들기

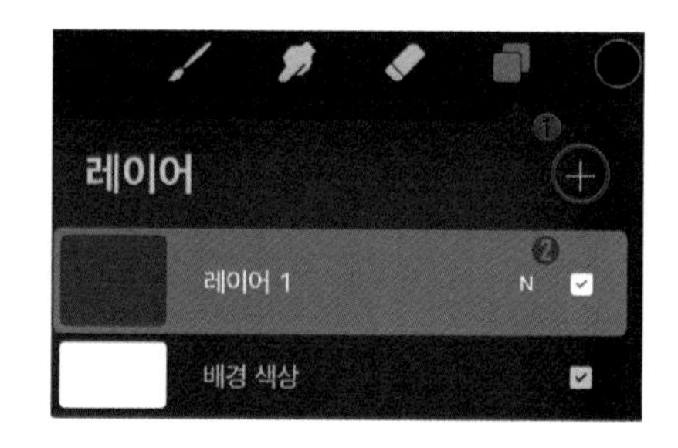

① 십자 모양 버튼을 눌러 새로운 레이어 창을 생성합니다.

② 레이어 표시를 없애면 해당 레이어 이미지가 보이지 않습니다.

- 레이어 편집하기

손가락으로 레이어를 왼쪽으로 넘기면 레이어를 편집할 수 있는 항목들이 나타납니다. 레이어를 '**잠금, 복제, 삭제**'를 할 수 있습니다.

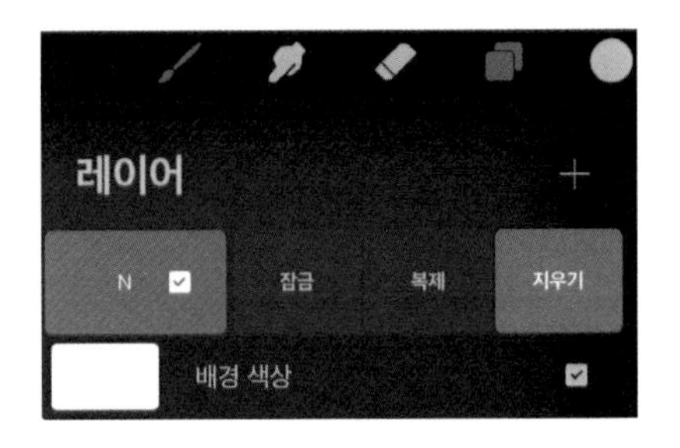

- 레이어 혼합모드

두 개의 레이어 속 색상 이미지들을 혼합한 모습을 보여줍니다.

① **불투명도 바**: 바를 좌우로 움직여 이미지의 불투명도를 조절합니다. 레이어를 손가락으로 두번 톡톡 두드리면 캔버스 상단에 불투명 조절 바가 뜹니다.

② **혼합 모드 옵션**: 기본 설정은 보통 모드인 N입니다. 다른 모드 적용을 위해 펜슬로 위 아래 움직여 옵션을 확인합니다. 자주 사용하는 모드로 '**곱하기, 오버레이, 스크린**' 등이 있습니다. '**곱하기**'는 글씨. 그림 아래 그림자를 넣을 때 사용합니다. '**오버레이**'는 곱하기 모드보다는 덜 어둡게, 스크린에 가까운 빛 효과를 나타냅니다. '**스크린**'은 이미지를 빛과 같이 밝게 합니다.

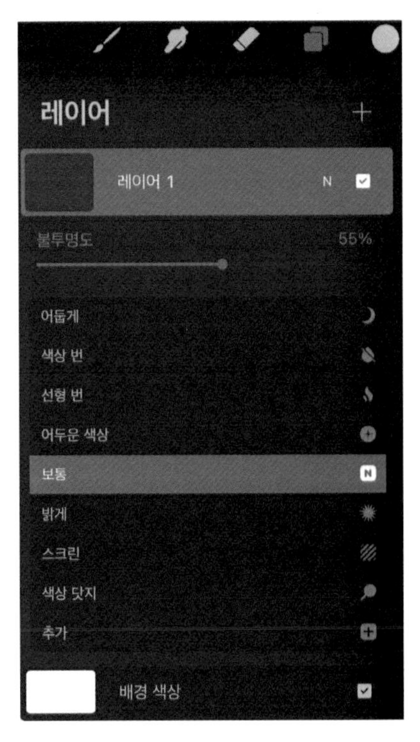

- 레이어 선택

손가락으로 각 레이어를 오른쪽으로 밀어 레이어를 선택 할 수 있습니다. 여러 개의 레이어도 선택 가능합니다. 레이어들을 선택 한 뒤 '**그룹**' 버튼을 눌러 레이어를 다음 페이지와 같이 묶을 수도 있습니다.

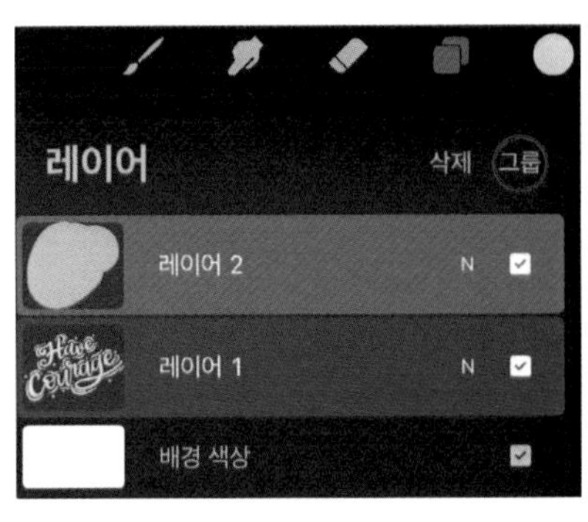

- 레이어 그룹

레이어들을 그룹 지정 한 다음, 그룹 레이어의 이름을 정합니다. 또는 병합을 눌러 그룹 안의 레이어들을 하나의 레이어로 합칩니다.

- 클리핑 마스크 & 알파 채널 잠금

레이어를 한 손가락으로 클릭하면 레이어 왼쪽으로 여러 도구들이 나타납니다.

① **클리핑 마스크**: 하위 레이어 이미지 내부를 색칠 할 때, 상위 레이어에 클리핑 마스크를 적용합니다. 이미지 경계 바깥으로 색칠 되지 않게 해줍니다. 클리핑 마스크 적용 레이어에는 사진과 같이 왼쪽 편에 화살표가 나타나게 됩니다.

② **알파 채널 잠금**: 클리핑 마스크처럼 이미지를 경계로 하여 내부를 색칠합니다. 단, 채색 레이어를 따로 만들지 않고 레이어 자체에 알파 채널 잠금을 설정합니다. 클리핑 마스크와는 달리, 레이어 배경에 바둑판 무늬가 생깁니다. 두 손가락으로 레이어를 좌에서 우로 당겨 쉽게 알파 채널 잠금을 할 수 있습니다.

- 색상 탭 살펴보기

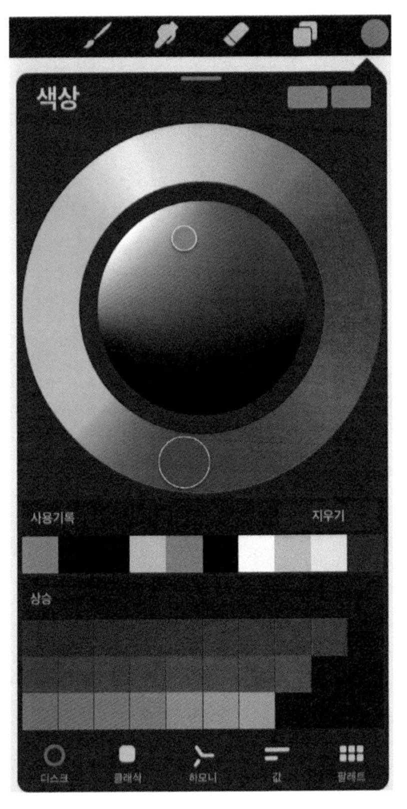

① **디스크**: 바깥 큰 원에서 색상을 선택하고 안쪽 작은 원에서는 색상의 채도를 조절합니다. 사용 기록에서는 내가 최근에 썼던 색상들이 나타납니다.

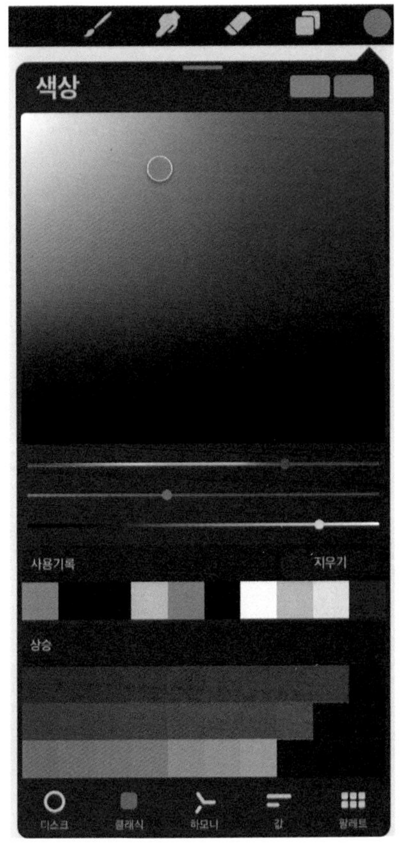

② **클래식**: 큰 사각형 박스 안 작은 동그라미를 움직여 색상을 선택합니다. 박스 아래 3개의 라인을 움직여 색상을 세밀하게 조절할 수 있습니다. 위에서부터 '**색조, 채도, 명도**' 조절 라인입니다.

> ◉ Tip
>
> 캔버스 크기, 해상도에 따라 생성 가능한 레이어 수가 정해져 있으니 주의하세요.

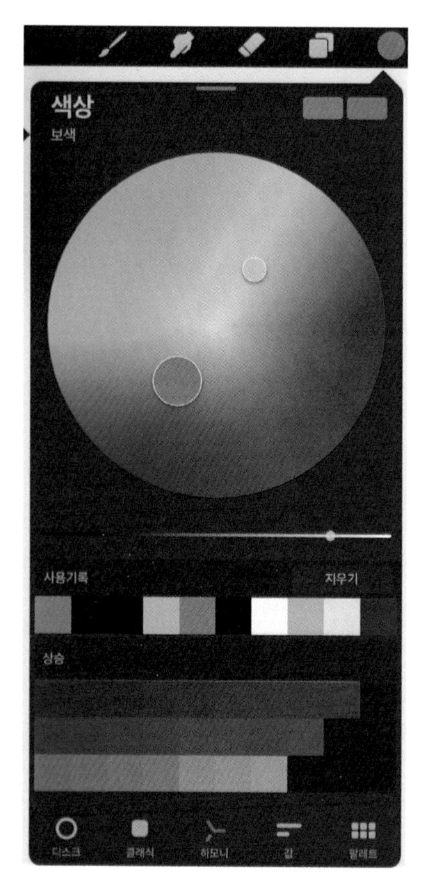

③ **하모니**: 몇 개의 작은 원들을 움직여 '**보색, 보색 분할, 유사, 삼합, 사합**' 색상을 쉽게 지정합니다. 원의 내부로 갈수록 채도가 낮아지고, 바깥으로 갈수록 채도가 높아집니다. 큰 색상 원 아래에 있는 바를 움직여 명도를 조절합니다.

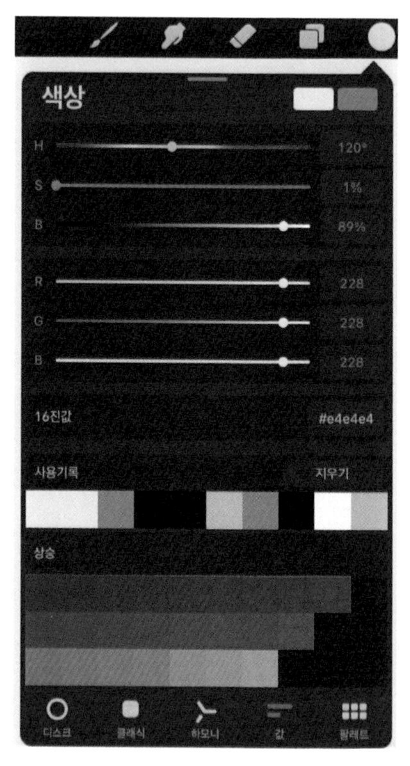

④ **값**: 원하는 색상 값을 입력하여 색을 정합니다. 'RGB'란 웹용 색상을 의미합니다. R 바에서는 빨강, G 에서는 녹색, B 바에서는 파란색 계열의 색조를 조절합니다. 'HSB'는 컴퓨터 그래픽 색 모델을 뜻합니다. H에서는 색조, S에서는 채도, B에서는명도를 조절합니다.

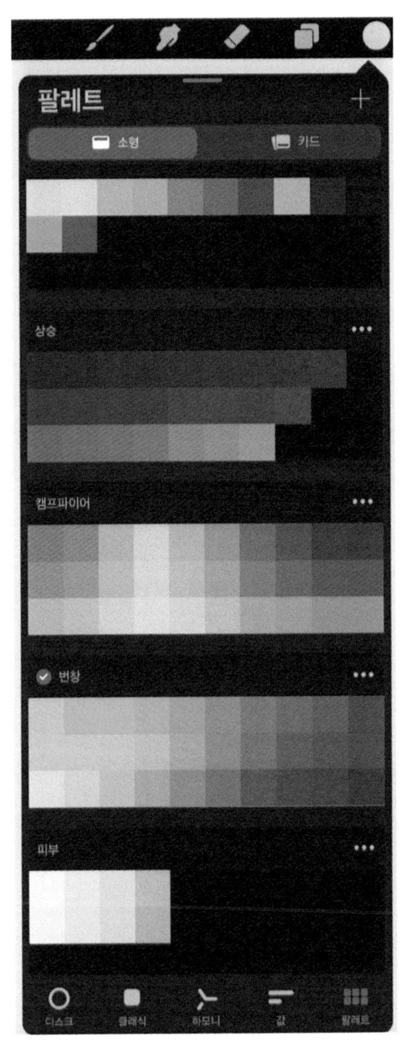

⑤ **팔레트**: 소형 탭에 특정 주제의 기본 팔레트들이 제공되어 있습니다. 카드 탭에서는 각 팔레트의 색상들이 커다란 정사각 카드 형태로 보여집니다. 팔레트에 내가 자주 사용하거나 좋아하는 스타일의 색상들을 등록 할 수 있습니다.

⑥ **색상 탭 분리**: 색상 탭 상단 가운데 회색 바를 펜슬로 드래그하면 탭이 따로 떨어지게 됩니다. 다시 원 상태로 복구하기 위해서는 오른쪽의 'X' 버튼을 누르면 됩니다.

기본 브러시 특징 및 커스텀

프로크리에이트에서 기본적으로 제공하고 있는 브러시들은 매우 다양합니다. 하나씩 써보면서 브러시 별 필압과 질감 등을 느껴보세요. 기존 브러시들에 익숙해지기 시작하면, 나만의 영문캘리브러시 제작 또한 어렵지 않을거예요.

01. 브러시 라이브러리 살펴보기

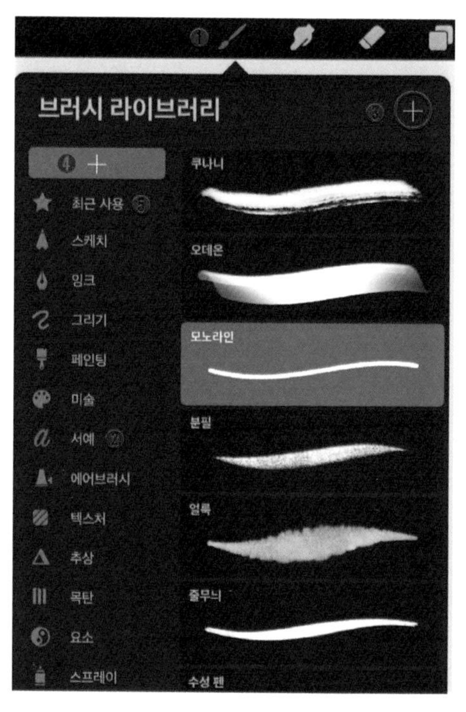

① 그리기 툴의 붓 아이콘을 눌러 브러시 라이브러리 탭을 엽니다. 각 카테고리를 클릭하여 다양한 브러시들을 확인합니다.

② 서예 브러시 세트에 캘리그라피용 브러시들이 많이 있습니다.

③ 오른쪽 측면 십자 모양을 누르면 나만의 브러시를 만들 수 있습니다.

④ 왼쪽 파란색 플러스 버튼은 브러시 세트 생성 도구입니다. 자주 사용하는 브러시나 나의 브러시들을 하나의 세트로 만들어줍니다.

⑤ 최근 사용한 브러시들이 시간 순서대로 나열됩니다.

- 브러시 편집하기

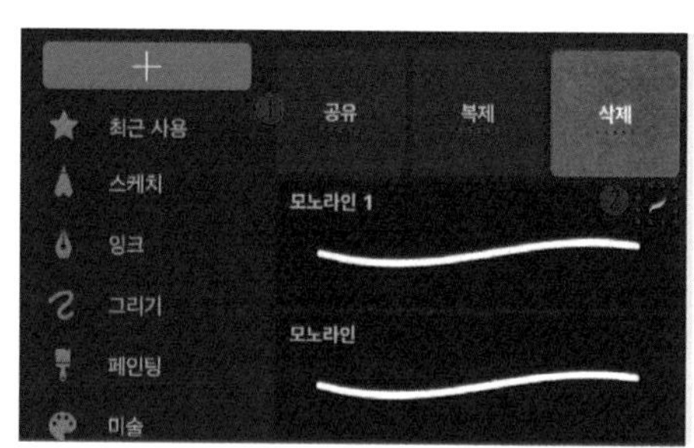

① 브러시를 왼쪽으로 당기면 '공유, 복제, 삭제' 버튼이 나옵니다.

② 복제를 눌러 같은 브러시를 복사합니다. 복사된 브러시는 오른쪽 편에 프로크리에이트 아이콘이 뜹니다.

- 영문캘리 추천 기본 브러시

① **모노라인 캘리** : 모노라인 브러시로 모노라인 체를 씁니다.

② **모던 캘리**: 수성 펜, 브러시 펜, 스크립트 펜은 필압 조절이 가능하여 모던 스타일 캘리에 어울립니다. 수성 펜은 물이 붓에 스며든 느낌이 납니다. '브러시 펜'은 깔끔한 라인느낌의 펜으로, 필압에 따라 글씨에 명암이 보입니다. '스크립트 브러시'도 깔끔하게 써지나, 명암은 없습니다.

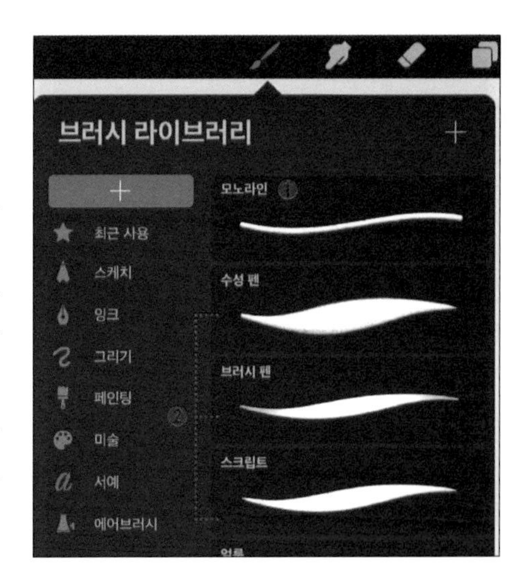

02. 셀프 영문캘리 브러시 커스텀

① **브러시 세트 생성**: 파란 플러스 버튼을 누르고 내가 원하는 세트 탭 이름을 타이핑합니다.

② **나만의 브러시 만들기**: 오른쪽 십자 아이콘을 눌러 브러시 스튜디오 화면으로 이동합니다.

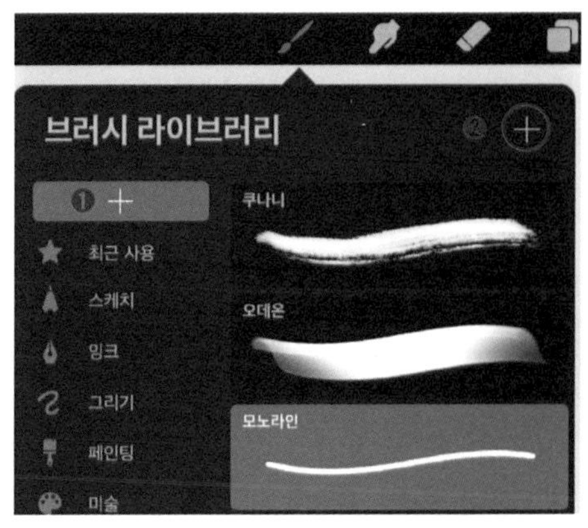

- 브러시 스튜디오 설정하기

① **획 경로**: '간격, 지터, 묽음 감소'를 정도를 없음으로 설정합니다. 간격 값이 작을수록 선이 형성됩니다.

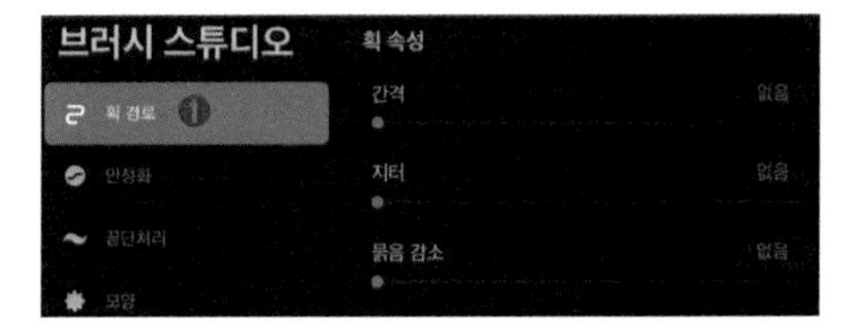

② **안정화**: '스트림 라인'은 부드럽고 매끄러운 라인을 그릴 때 사용합니다. 스트림라인 값을 60~70 사이에 두어, 캘리그라피용 브러시를 만듭니다.

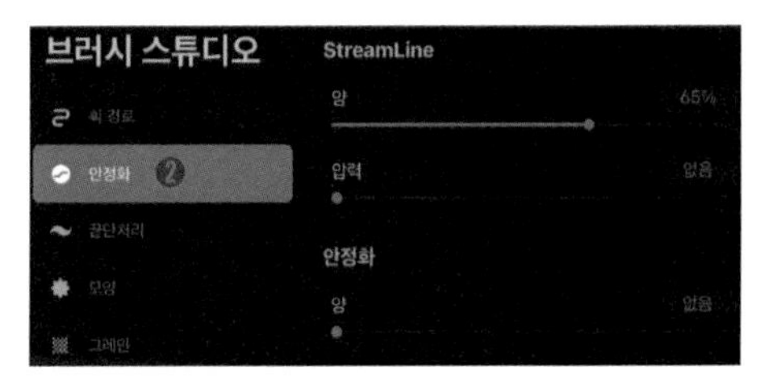

③ **모양**: 기본 브러시 모양은 동그라미로 저장되어 있습니다. 다른 모양으로 바꾸고 싶으면, 오른쪽의 '**편집**'을 누릅니다.

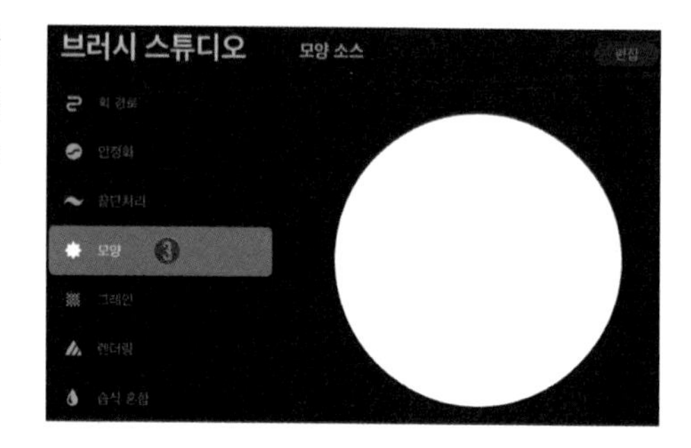

③-(1) **가져오기**: 프로크리에이트에 내장된 모양 소스들을 불러오기 위해 '가져오기'를 누릅니다. 이후 '**소스 라이브러리**'를 클릭하여 모양 소스들을 확인합니다. 이미지 소스 옵션에서 사진이나 파일을 모양 소스로 불러올 수도 있습니다. 또한 복사한 이미지를 '**붙여넣기**'도 합니다.

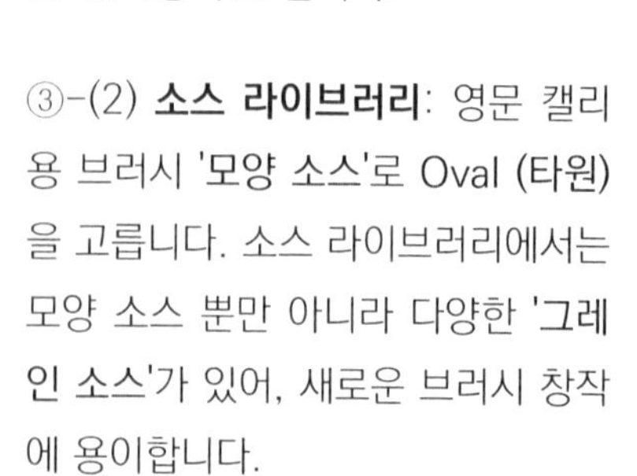

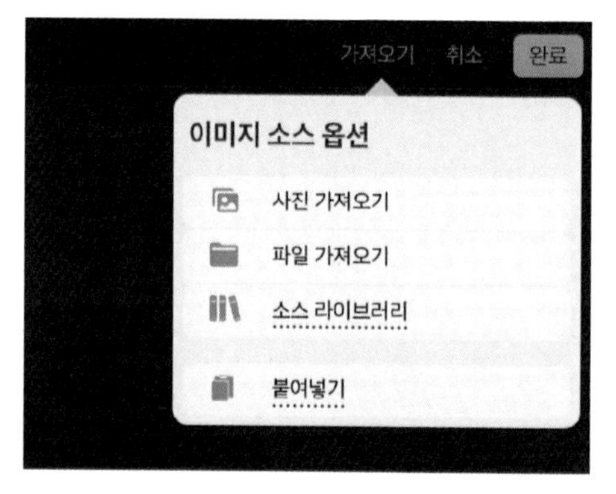

③-(2) **소스 라이브러리**: 영문 캘리용 브러시 '**모양 소스**'로 Oval (타원)을 고릅니다. 소스 라이브러리에서는 모양 소스 뿐만 아니라 다양한 '**그레인 소스**'가 있어, 새로운 브러시 창작에 용이합니다.

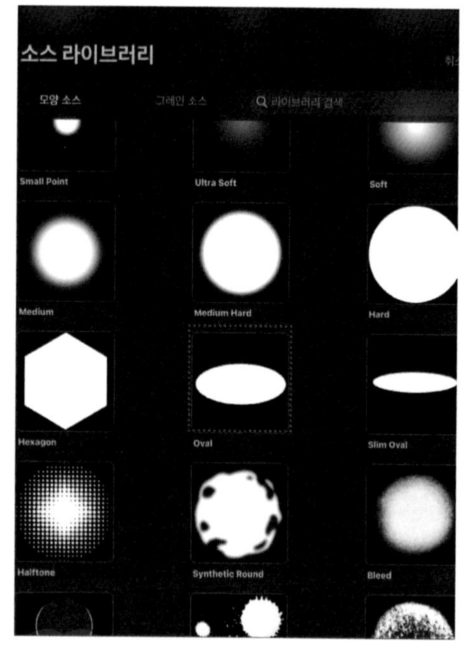

④ **애플펜슬**: 브러시의 '압력'과 '기울기'를 세밀하게 설정할 수 있습니다. 필압이 있는 영문캘리용 브러시를 만들기 위해, 압력의 '**크기**' 조정 탭을 대략 55%로 맞춥니다. 압력 크기를 '0'으로 하면 선의 굵기가 일정한 브러시가 됩니다. '**흐름**'과 '**불투명도**'는 '0'으로 조정하여 브러시 선이 일정한 색상으로 나올 수 있게 합니다.

⑤ **속성**: 브러시 라이브러리에서 보여지는 '**브러시 모습, 브러시의 크기와 불투명도**' 등을 조정합니다.
기존에 저장되어있는 브러시보다 더 큰 크기 또는 작은 크기로 변경하고 싶을 때, 브러시 특성의 '**크기**' 탭을 움직여 줍니다.

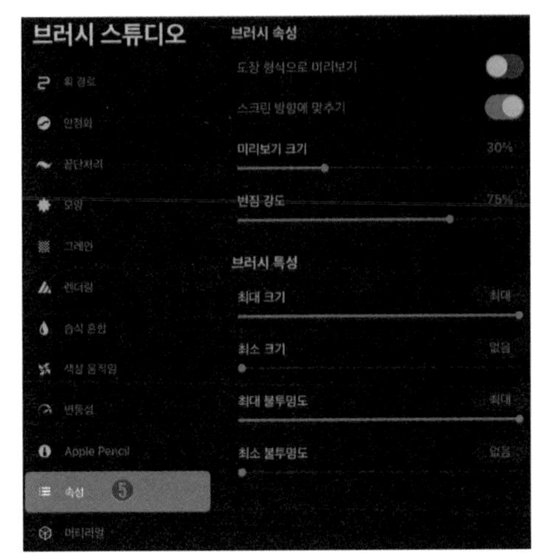

⑥ **이 브러시에 관하여**: '브러시와 브러시 제작자의 이름, 서명'을 입력합니다. 내장된 브러시를 커스텀하여 사용하다가 원래의 초기 브러시로 돌아가고 싶으면 아래의 '**브러시 초기화**' 버튼을 누르면 됩니다.

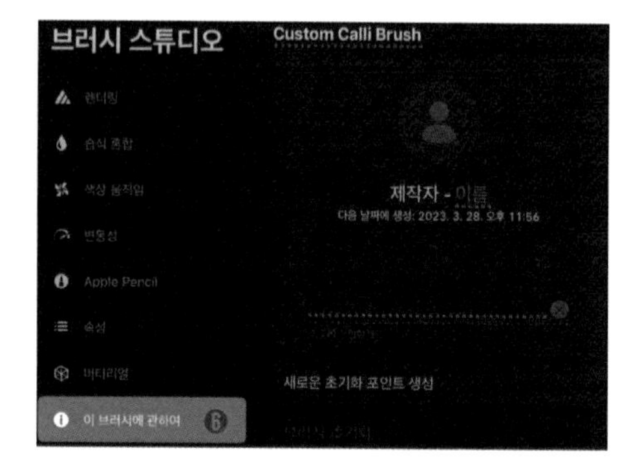

⑦ **압력 및 다듬기**: 동작 설정 탭에서 브러시의 필압과 움직임을 다듬습니다. 그래프의 X축은 압력, Y축은 획의 두께를 나타냅니다. 펜슬로 선을 터치하여 조절 점을 만든 다음, 선을 위 아래로 움직여 압력 조정을 합니다. 파란 조절 점은 6개까지 만들 수 있습니다. 브러시에 따라 압력 곡선을 달리 조정하도록 합니다.

(1) **사선 압력 곡선**: 기본 설정 옵션입니다. 압력이 고르게 분포가 됩니다.
(2) **볼록 압력 곡선**: 압력을 덜 주어도 쉽게 선이 그려지고, 두꺼운 획을 만들 수 있게 합니다.
(3) **오목 압력 곡선**: 손에 힘을 보통보다 더 주어야 얇은 획을 그릴 수 있습니다.
(4) **S자 압력 곡선**: 필압을 낮게 했을 때 얇은 획, 두께 있는 획은 힘을 어느 정도 주더라도 쉽게 굵게 그릴 수 있습니다.

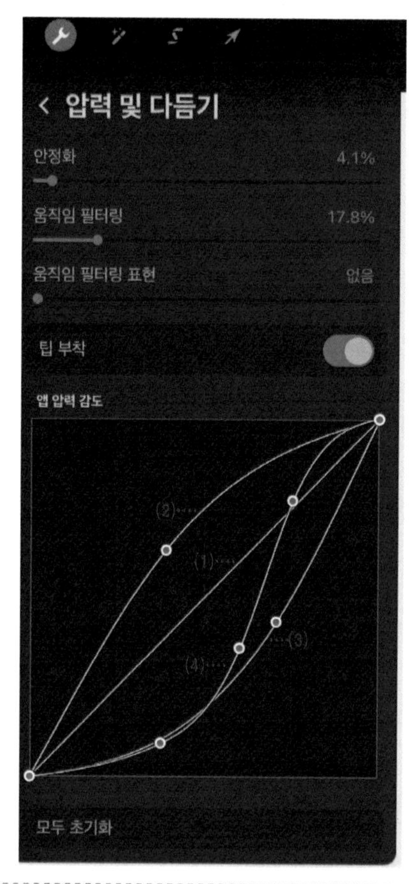

◉ 듀얼 브러시 만들기

1. 브러시 1개가 선택된 상태에서 다른 브러시를 왼쪽에서 오른쪽으로 밉니다.
2. 라이브러리 오른쪽 상단에 뜬 '**결합**'을 눌러 두 브러시 특징이 있는 하나의 브러시를 생성합니다.
3. 브러시 스튜디오에서 각 브러시 옵션들을 변경하여 듀얼 브러시 설정을 마칩니다.

03. 서명 도장 브러시 만들기

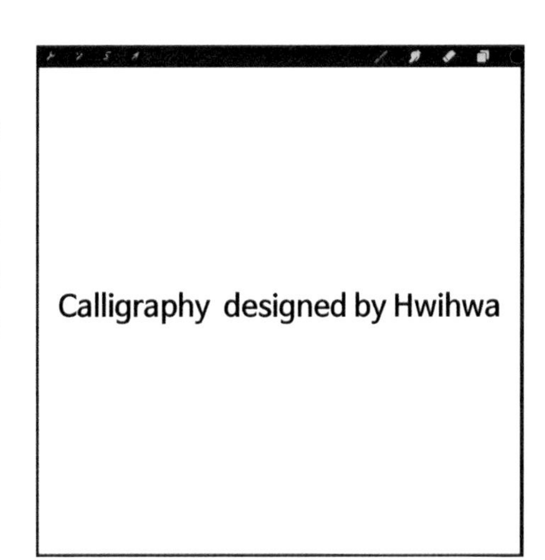

① **캔버스 사이즈**를 3000 x 3000px 정사각형으로 정하고, 해상도는 300dpi에 맞춥니다. 동작 추가탭에서 '텍스트 추가' 버튼을 눌러 서명 문구를 작성합니다. by 뒤에 이름을 씁니다.

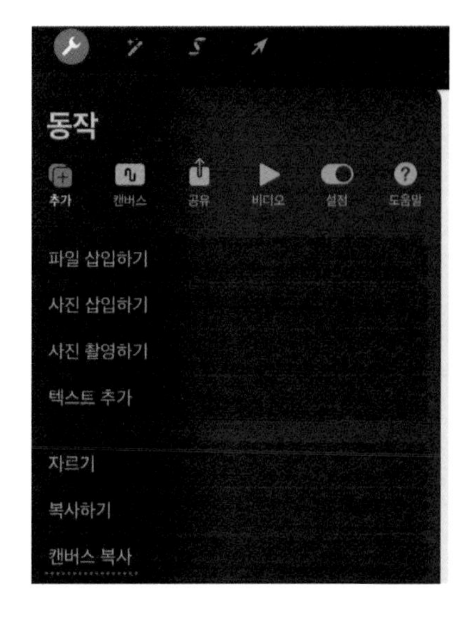

② **동작**의 추가 탭에서 '캔버스 복사'를 눌러 서명 브러시를 만들기 위한 준비를 합니다. 서명이 적혀있는 캔버스 전체가 복사됩니다. 복사된 서명은 이미지 소스로 사용 됩니다.

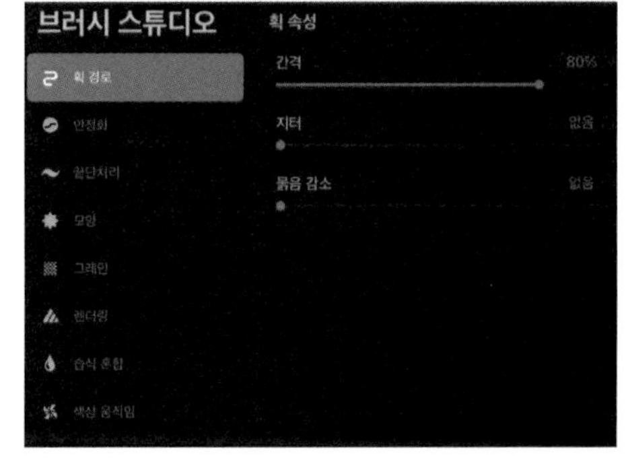

③ **브러시 스튜디오**로 들어가기 위해 브러시 라이브러리의 십자모양을 누릅니다. 획 경로 탭에서 '간격'을 80%정도로 늘립니다. 도장형 브러시를 만들 때 간격을 꼭 넓게 설정해 주어야 합니다.

④ **모양** 탭의 편집에 들어가 '**가져오기**'를 누르거나, 캔버스에서 복사했던 이미지를 '**붙여넣기**'를 터치하여 불러옵니다. 'Calligraphy designed by ~' 문구가 흰색 캔버스 화면에 나타날 것입니다.

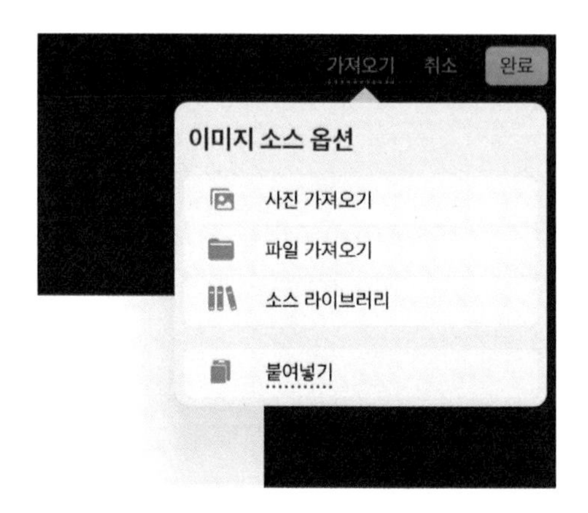

⑤ **모양 편집기** 배경을 검은색으로 하여 브러시를 만들도록 합니다. 기존 편집기의 흰색 캔버스 화면을 손가락으로 두 번 터치하여 캔버스 배경을 **검은색**으로 만듭니다. 오른쪽 상단 노란색 '**완료**' 버튼을 눌러 모양 편집을 마칩니다.

⑥ **렌더링** 탭에서 '강렬한 혼합' 모드를 선택합니다.

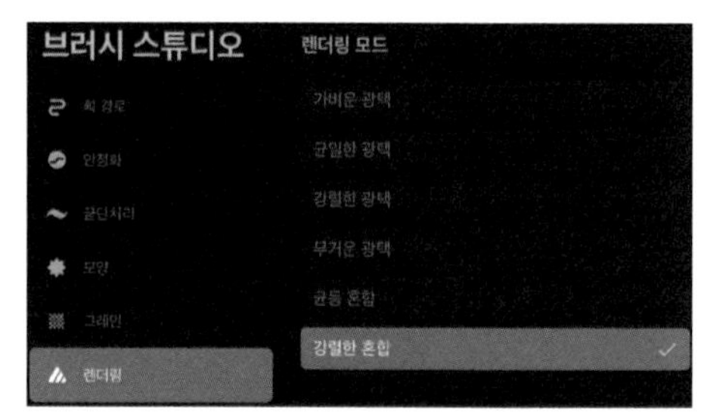

⑦ **애플펜슬** 탭에서 '불투명도'를 '0'으로 설정하여 서명 도장 색상이 선명하게 나오도록 합니다.

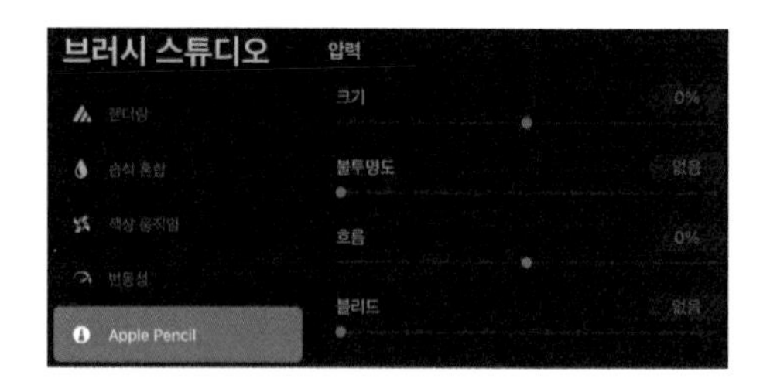

⑧ **속성** 탭에서 서명 도장 브러시 크기를 조정합니다. 도장형 브러시 이므로 최대 최소 크기를 늘려주어야 합니다. 브러시의 '**최대 크기**'를 500% 정도로 늘립니다. '**최소 크기**' 또한 150% 쯤 올립니다.

⑨ **이 브러시에 관하여** 탭에서 '서명 도장 브러시 이름, 제작자 이름, 사인'을 입력합니다. 마지막으로 '**완료**'를 눌러 도장 브러시 제작을 마칩니다.

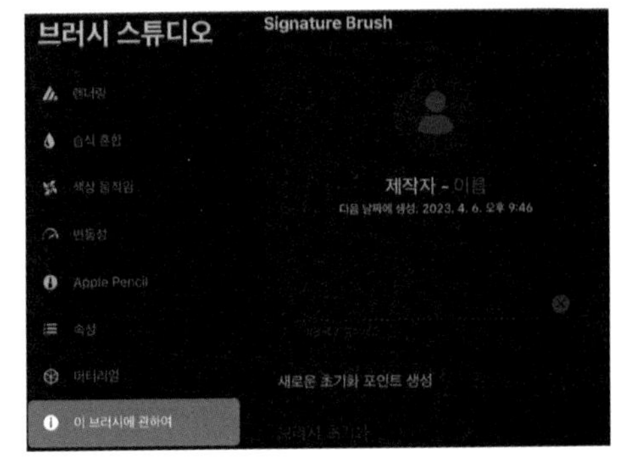

◉ Tip 도장 브러시 기타 설정

도장 브러시를 만들 때 '그레인(질감)'을 넣지 않아도 됩니다. 텍스트 타입의 서명 외에도 간단한 그림이나 사진들로 도장 브러시를 만들 수 있습니다. 단, 반드시 이미지 소스 주변 배경이 '**검은색**'으로 설정되어있어야 한다는 점을 잊지 마세요!

영문캘리 필수 툴과 친해지기

아이패드 디지털 영문캘리그라피를 위한 필수 툴들을 설치 해 봅시다. 5종 영문캘리 브러시, 팔레트, 가이드지를 다운받아, 프로크리에이트 캔버스에 직접 사용해보세요. 아날로그 영문 캘리그라피와는 다른, 신선한 아이패드 영문캘리그라피의 매력에 빠져보아요.

01. 영문 전용 브러시 탐구하기

Hwihwa Ecali 브러시 세트에 내장된 브러시들을 비교 해 봅시다.

① **모노라인 캘리 브러시**:

(1) 'Squared Monoline Calli'는 각진 모노라인을 쓰기에 적합합니다.

(2) 'Monoline Calli Brush'는 서예탭 기본 브러시 보다 더 두껍고 크게 선 조정이 됩니다.

(3) 'Outline Brush'는 테두리 선이 나타나는 모노라인 브러시입니다.

② **모던캘리 브러시**:

(1) 'Lettering Modern Brush' 는 영문 레터링에 가장 많이 쓰입니다.

(2) 'Lettering Pastel Brush'는 파스텔 초크 질감 모던 브러시입니다.

③ **카퍼플레이트 캘리**:

(1) 'Copperplate H brush'를 사용합니다.

④ **고딕 & 이탤릭 캘리**:

(1) 'Gothic/ Italic Brush' 로 굵기를 달리하여 글씨를 씁니다.

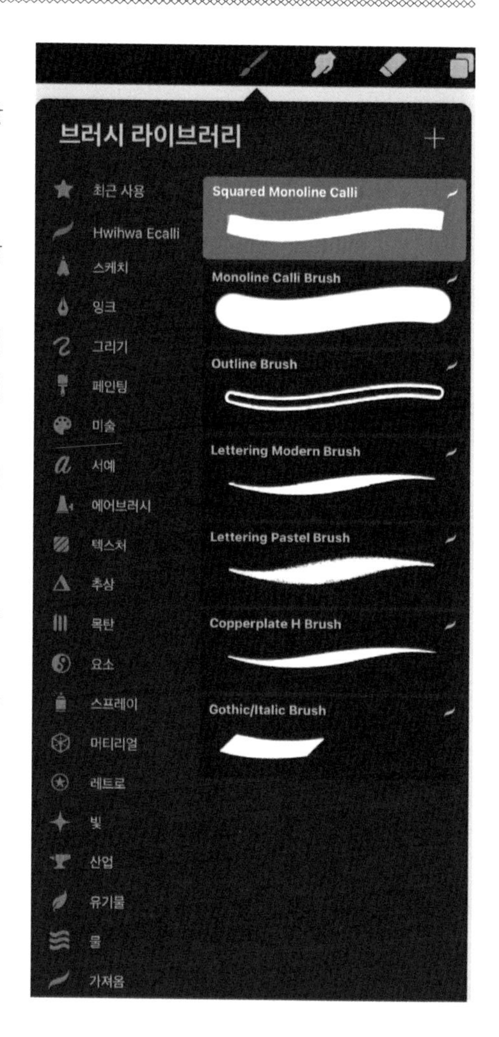

- 영문전용 브러시 선연습 및 테스트

브러시를 써보며 모양의 차이를 파악하고, 필압 조절을 하여 선연습을 합니다.

① **Squared Monoline Calli** : 브러시 끝부분이 네모난 것이 특징입니다. 단, 네모 획이 예쁘게 나오도록 빠르지 않게 브러시를 사용하도록 합니다.

② **Monoline Calli Brush**: 끝 획이 둥글며 선 굵기가 일정합니다.

③ **Outline Brush**: 테두리 부분이 강조됩니다. 테두리 안 공간은 비어 있습니다.

④ **Lettering Modern Brush**: 브러시 끝단이 뾰족하면서 둥근 모양입니다. 이전 브러시들과는 달리, 힘에 따른 필압 조절이 가능합니다.

⑤ **Lettering Pastel Brush**: 초크 질감이 살아있는 브러시입니다. 브러시 끝단 모양은 모던 브러시와 동일합니다. 필압에 따라 굵기가 변합니다.

⑥ **Copperplate H Brush**: 브러시 끝단이 모던 브러시와 비슷해 보이나, 끝부분에 약간의 평평한 면적이 있습니다. 이 브러시 또한 필압 조절이 됩니다.

⑦ **Gothic/ Italic Brush**: 경사 진 끝단 모양을 띤 브러시입니다. 굵기가 얇을 때에는 Italic, 좀 더 굵은 선에는 Gothic 캘리그라피가 어울립니다.

◉ 다운받은 브러시 라이브러리 위치

브러시 라이브러리 목록 맨 하단 '**가져옴(Imported)**'에서 다운받은 브러시들이 나타납니다. 내가 만든 브러시 세트명 쪽으로 브러시들을 드래그하여 다운 받은 브러시를 편하게 사용할 수 있습니다.

02. 서체별 그리드 적용하기

'Hwihwa Egrid' 브러시 세트의 그리드들을 서체에 맞게 사용해봅시다. 각 서체별 글자 간격과 기울기에 맞춰 그리드가 디자인 되어 있습니다.

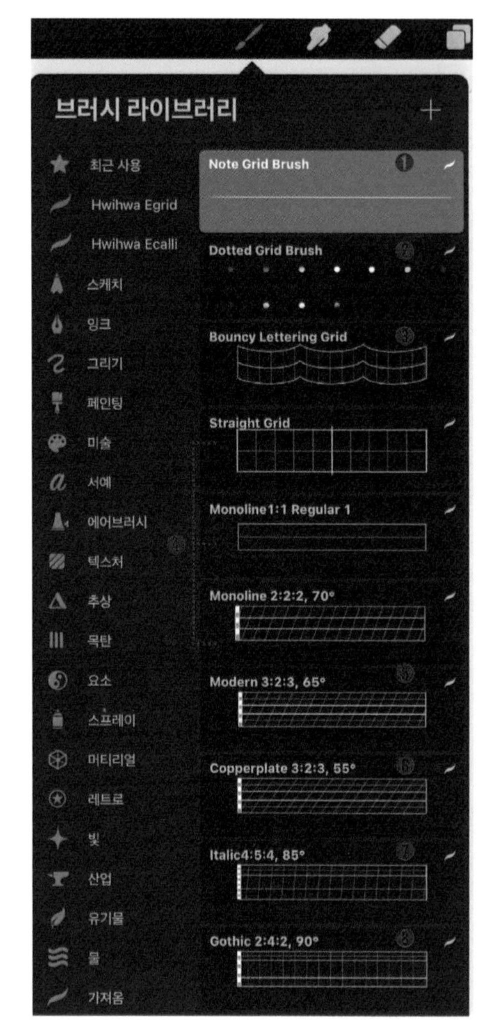

① Note Grid Brush: 가로줄이 여러개 나타납니다.

② Dotted Grid Brush: 점이 반복하여 나타나는 브러시입니다.

③ Bouncy Lettering Grid: 모던캘리 변형 그리드 브러시입니다. 곡선의 높낮이가 있는 것이 특징입니다.

④ **모노라인 그리드 브러시**: 'Straight Grid' 브러시는 기울기가 없는 그리드입니다. 그 외 1:1 Regular와 70도의 2:2:2 그리드 브러시가 있습니다.

⑤ **모던캘리 그리드 브러시**: 65도 기울기에 3:2:3 비율 간격입니다.

⑥ **카퍼플레이트 그리드 브러시**: 55도 기울기 3:2:3 그리드입니다.

⑦ **이탤릭 그리드 브러시**: 85도의 4:5:4 그리드입니다.

⑧ **고딕 그리드 브러시**: 90도의 2:4:2 고딕 그리드 브러시입니다.

◉ 기본 그리드 브러시 추천

라이브러리 텍스처 탭의 '격자' 브러시는 글자를 균형있게 쓰게 해주는 기본 그리드 브러시입니다.

03. 가이드 및 팔레트 사용하기

- 그리기 가이드 활성화

동작 탭에서 '그리기 가이드' 활성화 후 '그리기 가이드 편집'으로 들어가면 다양한 가이드를 볼 수 있습니다. 글씨를 균형 있게 맞춰 쓰고자 할 때 그리기 가이드를 활성화 해보세요. 가이드 편집 화면 상단 무지개 막대를 터치하여 가이드 색상을 변경할 수 있습니다. 그 밖에도 가이드 화면 아래 막대 바늘을 움직여, 그리드의 '**불투명도, 두께, 격자 크기**' 등을 조절합니다.

① **2D 격자**: 가로 세로 직선이 교차하는 네모 가이드 입니다. 모눈 종이 느낌이 있어 반듯한 글씨체를 캘리그라피 할 때 유용하게 쓰입니다.

② **등거리**: 대각선들이 교차하여 삼각 가이드 형태를 띠고 있습니다. 기울기가 있는 글씨를 쓸 때 사용하면 좋습니다.

③ **원근**: 투시도법을 이용하여 공간 그림을 그릴 때 사용합니다. 탭하여 파란색 소실점을 생성합니다. 소실점을 기준으로 뻗어있는 가운데 파란색 선은 나의 눈높이와 일치하는 선입니다. 소실점을 다시 눌러 삭제 한 뒤 다른 위치를 탭하여 소실점을 변경합니다. 캘리그라피를 할 때에는 원근 탭을 잘 사용하지 않습니다.

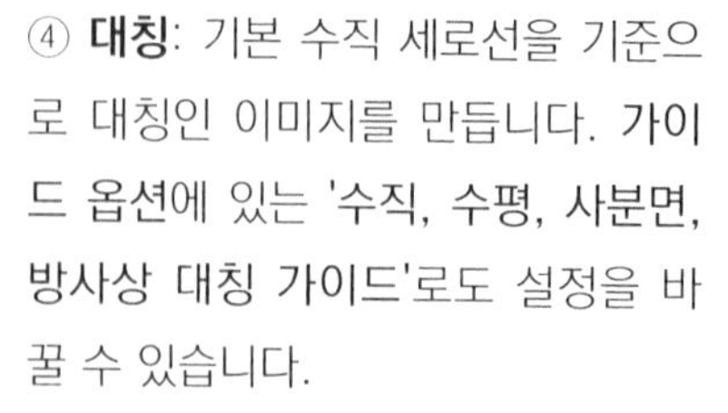

④ **대칭**: 기본 수직 세로선을 기준으로 대칭인 이미지를 만듭니다. **가이드 옵션**에 있는 '**수직, 수평, 사분면, 방사상 대칭 가이드**'로도 설정을 바꿀 수 있습니다.

⑤ **그리기 도움받기**: 가이드 선에 맞춰 곧은 선을 그릴 수있습니다. 대칭 가이드가 적용되어 있을 때, 반드시 '도움받기' 기능을 켠 상태에서 그려야 대칭 이미지가 완성됩니다.

- 팔레트 만들기

① **새로운 팔레트 생성**: 직접 선택한 색상들로 빈 팔레트를 채워나갑니다.

② **카메라로 새로운 작업**: 카메라 화면에 나타난 장면의 색으로 팔레트를 만듭니다.

③ **파일로 새로운 작업**: 제작된 팔레트를 여기서 불러옵니다.

④ **사진 앱으로 새로운 작업**: 사진 속 색상들을 추출 해 팔레트를 형성합니다.

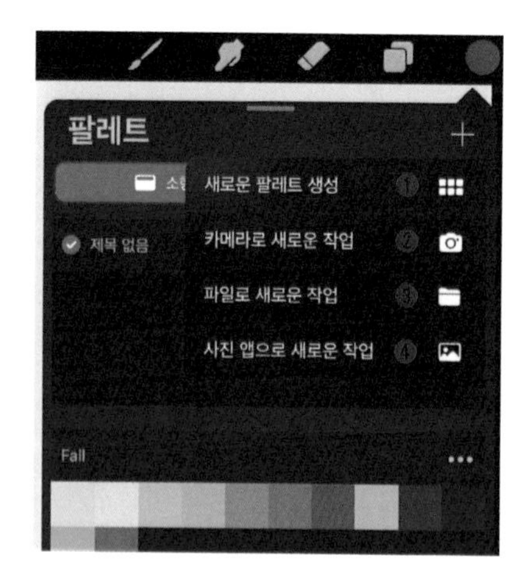

04. 꼭 알아야 할 제스처

▲ **선택하기**: 한 손가락으로 화면 터치

▲ **색 추출**: 한 손가락으로 꾸욱 누르기

▲ **실행 취소/불투명도 조절**: 두 손가락으로 화면 / 레이어 터치

▲ **선택 툴 편집**: 두 손가락으로 레이어 꾸욱 누르기

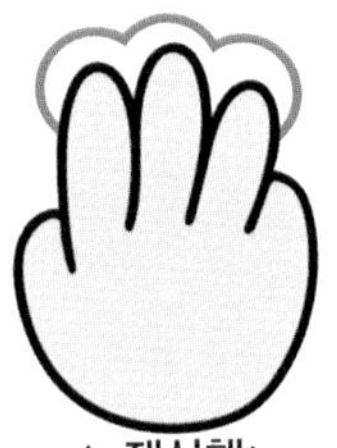

▲ **재실행**: 세 손가락으로 화면 터치

▲ **복사 및 붙여넣기**: 세 손가락으로 쓸어 내리기

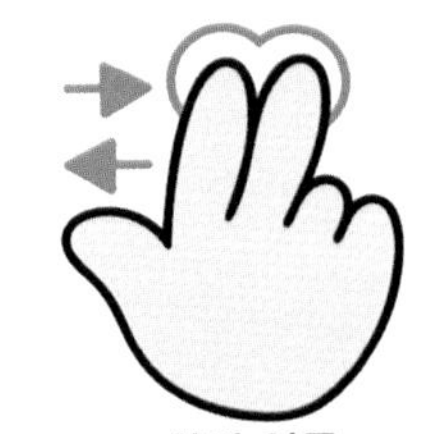

▲ **화면 이동**: 두 손가락으로 좌우 드래그 하기

▲ **전체 삭제**: 세 손가락으로 좌우 문지르기

▲ **캔버스 축소**: 두 손가락 모으기

▲ **캔버스 확대**: 두 손가락 벌리기

▲ **캔버스 회전**: 두 손가락 돌리기

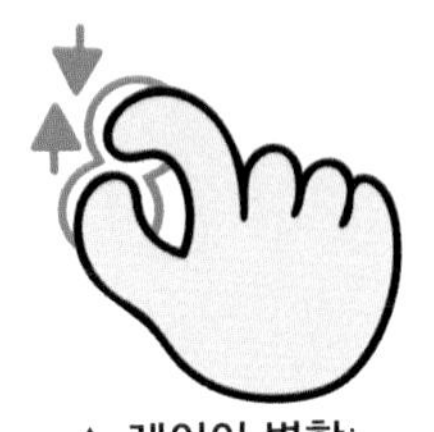

▲ **레이어 병합**: 두 손가락으로 꼬집기

◉ 브러시 제스처 알기

선 또는 간단한 도형을 그린 뒤 펜슬을 그대로 잡고 기다리면, 그림 라인이 매끄러워 집니다.

영문캘리 기초 용어

애플 펜슬로 영문 글씨들을 써 보기 전, 먼저 영문캘리그라피 기초 용어에 대해 알아봅시다. 영어 노트에 알파벳을 예쁘게 썼던 기억을 떠올리며, 캔버스 가이드지를 찬찬히 살펴보세요. 대・소문자 라인에 따라 달리 쓰는 것에 유의하도록 합니다.

01. 가이드라인 용어

영문캘리그라피가 처음이신 분들은 반드시 가이드라인에 맞추어 알파벳들을 한 자씩 써보는 것이 좋습니다. 초보자라 해도 아주 쉽게 영문캘리그라피를 할 수 있답니다. 가이드라인에 영문캘리 연습을 하기 전, 가이드라인 관련 용어들을 익히며 가이드라인과 익숙해 져 보아요.

① **기준선 (Baseline)**: 영문캘리그라피 글자의 기준이 되는 선.

② **허리선 (Waistline)**: 소문자의 맨 윗부분이 닿는 선.

③ **캡라인 (Capline)**: 대문자 사이즈를 나타냄.

④ **어센더라인 (Ascenderline)**: 허리선을 넘어서는 소문자들을 위한 선.
(ex: b, d, f, h, k, l)

⑤ **디센더라인 (Descenderline)**: 기준선 아래로 내려오는 소문자들을 위한 선.
(ex: f, g, j, q, y, p)

⑥ **엑스하이트 (X-Height)**: 소문자 X의 높이를 뜻함. 소문자 사이즈를 나타내며 서체에 따라 크기가 달라짐.

⑦ **어센더 (Ascender)**: 허리선 위로 뻗어가는 부분.

⑧ **디센더 (Descender)**: 기준선 아래로 내려오는 부분.

⑨ **슬랜트라인 (Slantline)**: 알파벳 각도는 어떤 서체를 쓰느냐에 따라 변화하게 됨.

02. 기본 획 용어

9가지 영문캘리그라피 기본 획 용어를 살펴보고 반복하여 써 보아요. 영문 서체들을 아름답게 쓰기위한 토대가 되는 것 들입니다.

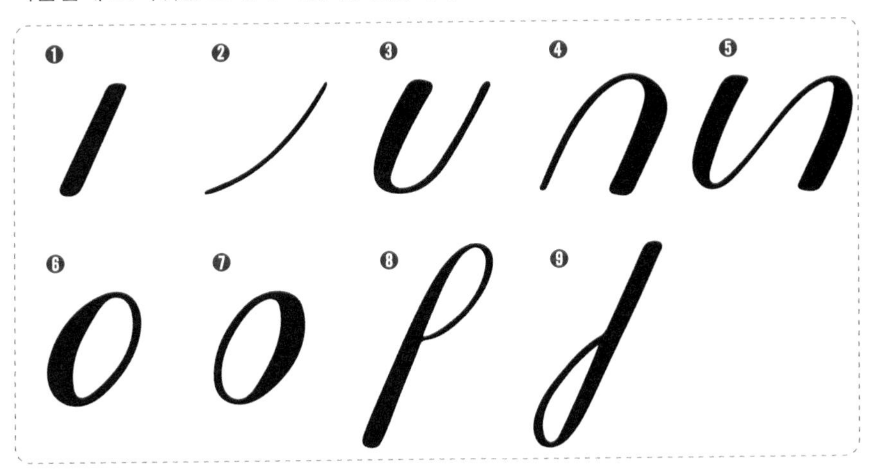

① **업스트로크 (Upstroke)**: 위로 올라가는 획. 두께가 일정함.

② **엔트렌스/ 엑시트 스트로크 (Entrance/ Exit Stroke)**: 얇은 곡선 형태의 획으로, 왼쪽 아래에서 위로 향하는 모양을 띰.

③ **언더턴 (Underturn)**: 힘을 주어 아래로 내려가다 곡선을 만들고 다시 위로 올라가는 획.

④ **오버턴 (Overturn)**: 언더턴과는 정반대 방향의 획. 압력을 덜 주어 위로 향하다가 곡선을 만든 뒤 필압이 있는 선이 아래 쪽으로 내려오는 획.

⑤ **컴파운드 커브 (Compound Curve)**: 언더턴과 오버턴이 합쳐진 획.

⑥ **오버 (Oval)**: 왼쪽에서 부터 압력을 주어 곡선형으로 내려오다가 오른쪽 위로 올라가는 형태가 나오는 획.

⑦ **리버스 오버 (Reverse Oval)**: 오버의 반전 형태.

⑧ **어센딩 스탬 루프 (Ascending Stem Loop)**: 얇은 획으로 오른쪽에서 곡선으로 올라가다가 두께 있는 선으로 아래로 내려오는 획.

⑨ **디센딩 스탬 루프 (Descending Stem Loop)**: 필압을 주어 아래로 향하다가 왼쪽에서 곡선을 그리며 위로 향하는 획.

◉ 기초 용어 심화

Part 2 각 서체의 기본획과 Part 3의 플러리싱 (장식선) 부분을 참고 해 주세요.

PART 02

영문캘리그라피 서체 알아가기

모노라인, 모던, 고딕, 이탤릭, 카퍼플레이트 체를
디지털 영문 브러시로 멋지게 써보아요.
기본 획 연습부터
시작해 보는 거예요.

심플한 손글씨, 모노라인 캘리

모노라인 캘리그라피는 거리 낙서에 영감을 받은 글씨체입니다. 일정한 두께의 선으로 그리는 손글씨 스타일로, 귀여운 느낌이 있습니다. 형태가 정형화 되어있지 않아 자유롭게 글자를 기울이거나 길게 늘이거나 볼록한 모양으로 만들 수 있어요.

01. 기본 획 훈련

엑스하이트, 어센더, 디센더의 높이가 2:2:2로 동일한 가이드 라인에 모노라인 획 연습을 합니다. 서체의 기울기는 고정되어 있지 않으나, 이 책에서는 편의 상 서체 기울기를 수직선 기준 20°로 정해놓았습니다.

- 모노라인 브러시 도구

필압 변화가 없는 어떤 펜이라도 모노라인을 쓸 수 있습니다. 볼펜, 글라스 펜, 브라우스 오너먼트 닙, 스피드볼 B 시리즈 펜 등의 도구 대신, 프로크리에이트에서는 이 브러시로 모노라인 캘리를 표현 해 봅시다.

- 기본 선 연습

브러시 크기를 14%에 맞추어 모노라인 캘리의 기본이 되는 선들을 연습해 봅시다. 손 끝 힘의 변화와 관계없이 라인을 쉽게 따라 그릴 수 있습니다.

02. 소문자, 대문자 연습

- 소문자

프로크리에이트용 '영문캘리 기본 연습 파일'을 다운 받은 뒤, 모노라인 소문자 알파벳을 순서에 유의하며 써 봅시다. 엑스하이트와 허리선을 중심으로 각각의 소문자 획들을 부드럽게 연결합니다.

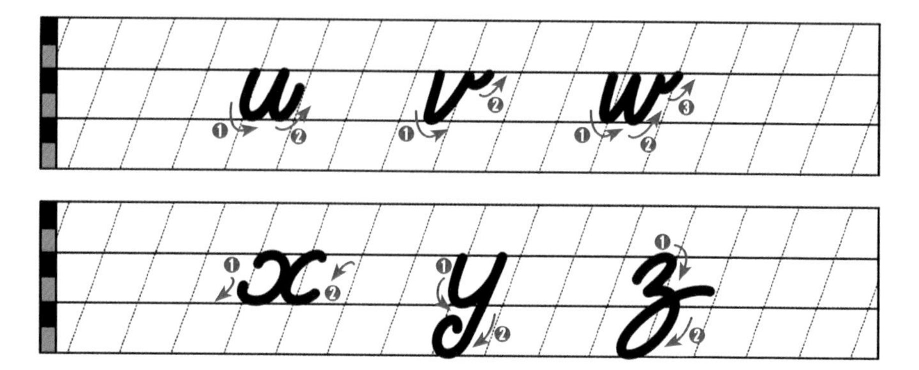

◉ Tip

끝단이 사각 모양인 프로크리에이트 모노라인 브러시로도 영문 모노라인 체를 쓸 수 있답니다.

- 대문자

모노라인 대문자 알파벳도 소문자 연습 할 때와 마찬가지로 순서를 지켜 쓰도록 합니다. 대문자 알파벳의 크기가 엑스하이트에서부터 어센더라인에 이를 수 있도록 합니다. 과하지 않은 곡선으로 획의 시작과 끝을 마무리 합니다.

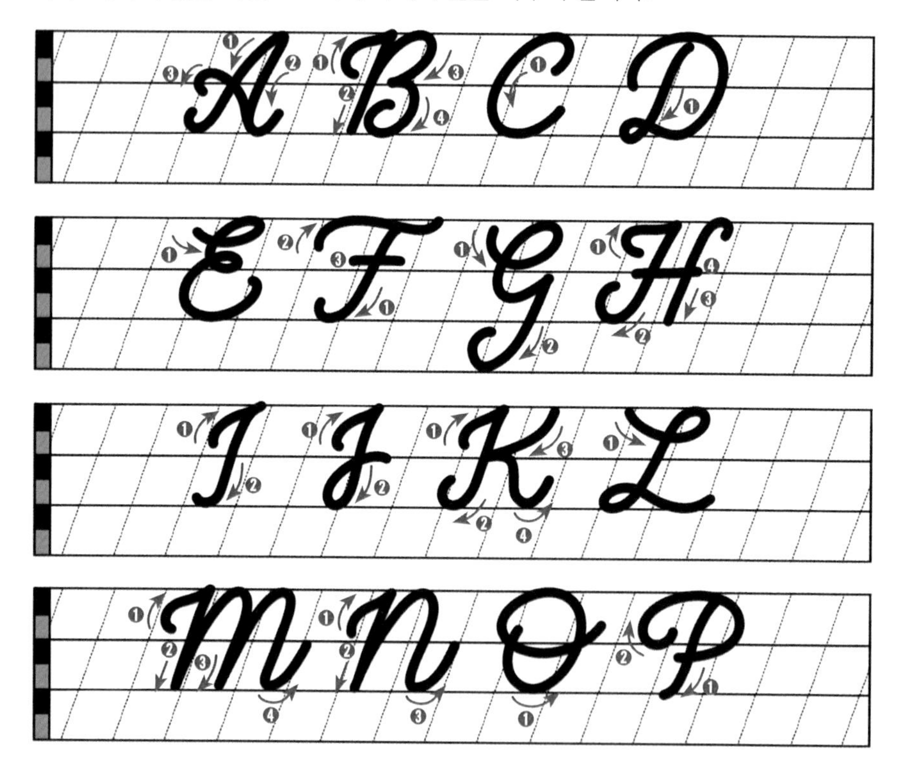

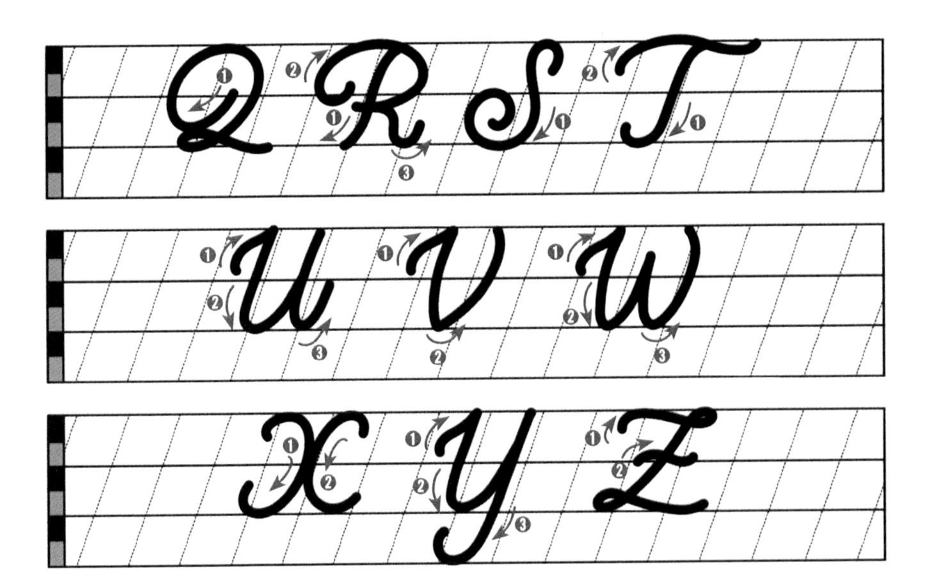

03. 숫자, 기호 쓰기 연습

모노라인 스타일의 숫자와 기호를 따라 써 봅시다.

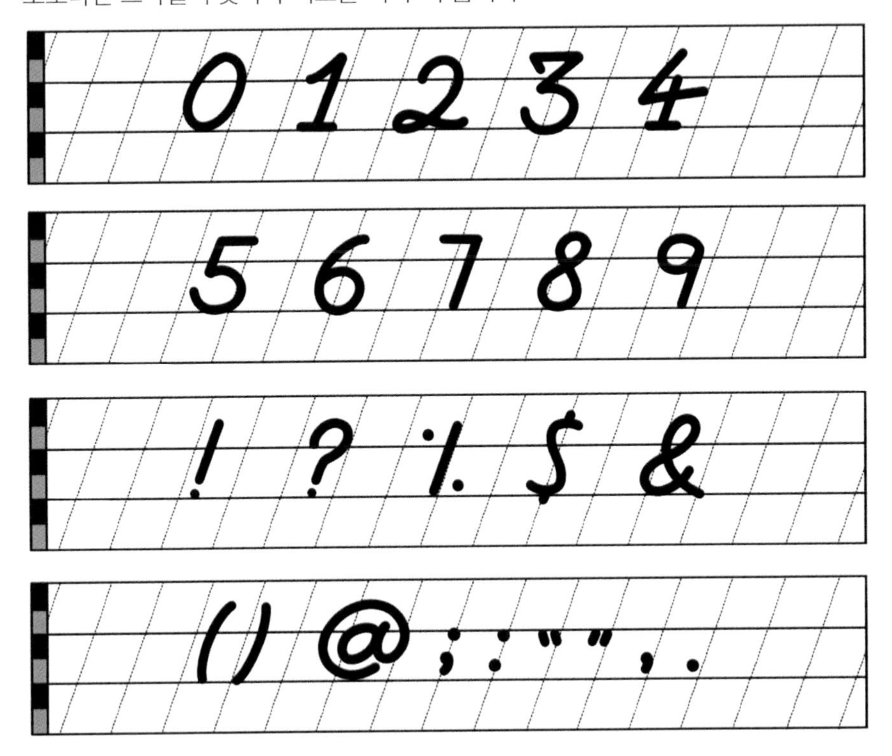

04. 단어 연결 및 문장 쓰기

- 단어 쓰기

월별 영어 단어를 모노라인 캘리그라피 형태로 쓰는 연습을 해 봅시다. 각 단어들은 대문자로 시작하고, 소문자들로 이어져 있습니다. 단어 첫 머리의 대문자와 그 다음 이어진 소문자를 연결하여 쓰는 것이 보통이나, 때에 따라 떨어지게 쓰기도 합니다. 한 단어를 쓸 때, 알파벳 사이를 끊김 없이 하나의 선으로 부드럽게 연결합니다.

> ▶ 단어 예시: January (1월), February (2월), March (3월), April (4월), May (5월), Jun (6월), July (7월), August (8월), October (9월), September (10월), November (11월), December (12월)

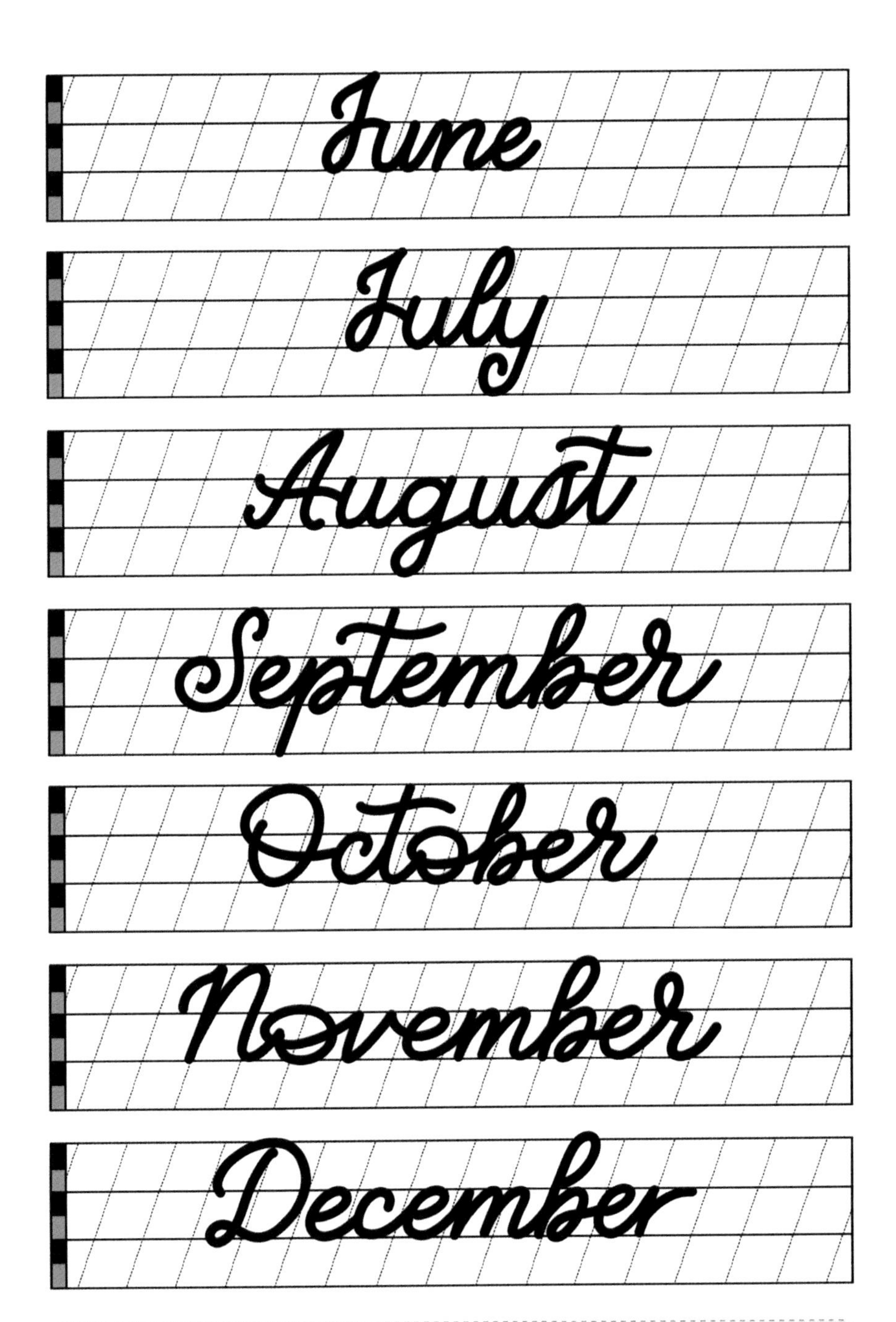

◉ 모노라인 캘리 단어 보너스 과제

요일 관련 단어들을 모노라인 캘리그라피로 써보기

- 문장 쓰기

짤막한 생활영어 문장들을 모노라인 캘리그라피로 표현해봅시다. 각 문장의 첫 글자는 대문자 알파벳으로 적고, 이어지는 알파벳들을 소문자로 적어 자연스럽게 연결하도록 합니다. 대문자는 알파벳이 어센더 라인까지 뻗어져 있습니다. 소문자의 경우 아래로 내려가는 모양의 알파벳은 디센더라인까지 위치하도록 적습니다. 한 문장 안의 단어 사이를 적절한 간격으로 띄어쓰며 마무리 합니다.

▶ 문장 예시: Good morning (안녕하세요), Enjoy today (오늘을 즐겨라), Have a nice day (좋은 하루 보내), Hello weekend (안녕 주말), Feeling blessed (축복받은 느낌이야), Coming soon (곧 갈게, 개봉박두)

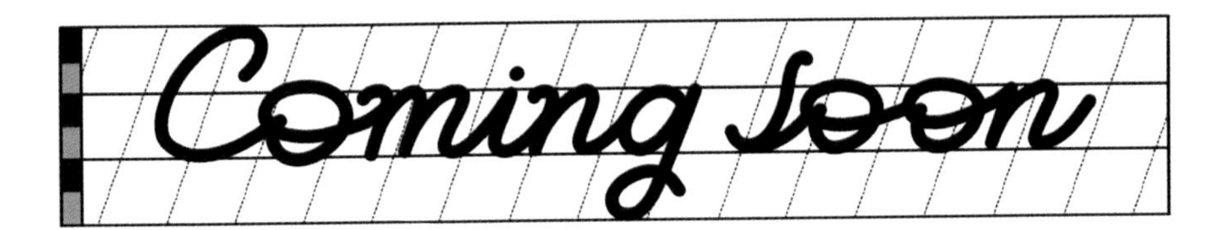

- 팬그램 쓰기

팬그램이란 알파벳 A부터 Z까지의 26자를 적어도 한번씩 또는 그 이상을 사용하여 만든 독특한 문장입니다. 전해 내려오는 팬그램 중 "The five boxing wizards jump quickly."를 모노라인 캘리그라피로 아래와 같이 써보세요. 문장의 첫머리는 대문자로 쓰도록 유의합니다.

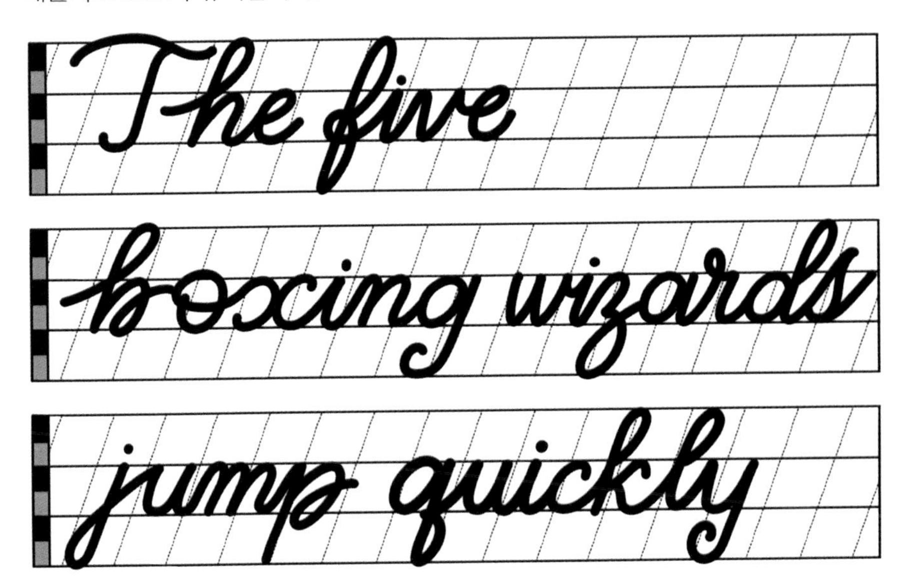

◉ **모노라인 캘리 문장 보너스 과제**

다음의 팬그램을 모노라인 캘리로 써보기: "Heavy boxes perform quick waltzes and jigs."

묵직한 옛날 감성, 고딕 캘리

고딕 캘리그라피는 12세기 중세시대 고딕 건축 양식에서 유래한 글씨체입니다. 세로획에 두께감이 있고 폭이 좁은 특징이 있습니다. '블랙레터'라고 부르기도 하며, 장식성이 있어 뉴스 헤드라인, 증명서 등에 잘 쓰입니다. 이 책에서는 블랙레터의 일종, 텍스투라를 다룹니다.

01. 기본 획 훈련

엑스하이트 높이가 4~5, 어센더와 디센더의 높이가 2인 2:4:2 비율 가이드라인에 고딕 획 연습을 합니다. 서체의 기울기는 0°, 수직입니다. 가로 폭이 좁고 세로로 두께 있는, 긴 모양의 획이며, 펜촉의 각도는 40°~45°입니다.

- 고딕 캘리 브러시 도구

일정한 굵기의 넓고 네모난 닙으로 고딕 캘리가 가능합니다. 지그 펜, 패럴렐 펜, 브라우스 스퀘어 닙, 스피드볼 C 닙 등이 대표적인 도구입니다. 프로크리에이트로는 아래의 브러시로 고딕 캘리그라피를 해 봅시다.

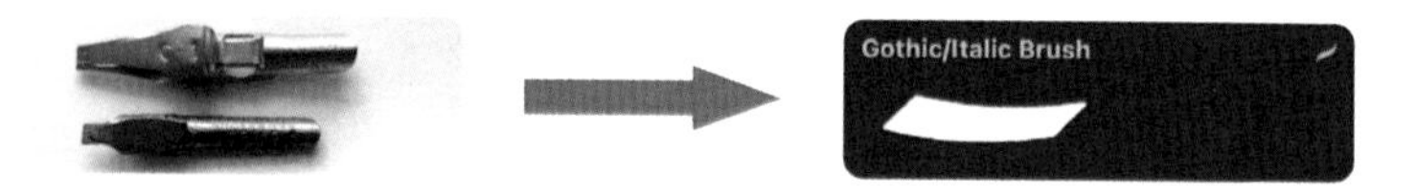

- 기본 선 연습

브러시 크기를 26%에 맞추어 고딕 캘리 기본 선들을 연습해봅시다. 기울기가 있는 네모난 브러시로 각도에 따라 얇은 선과 네모난 선을 그릴 수 있습니다.

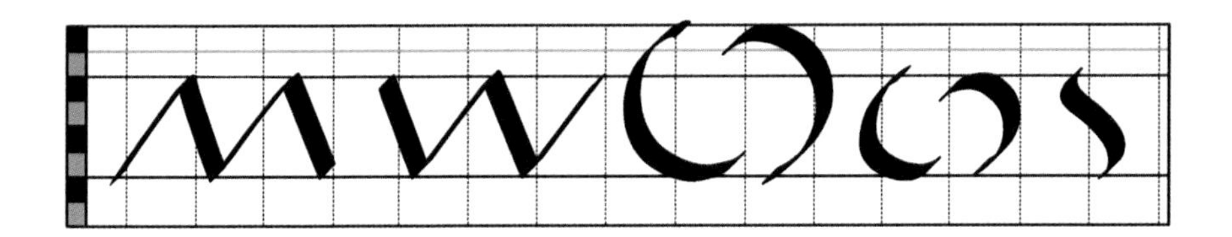

02. 소문자, 대문자 연습

- 소문자

기울기가 없는 가이드라인에 고딕 소문자들을 하나씩 연습 해 봅시다. 각각의 알파벳들은 고딕 체 특유의 딱딱하고 쭉 뻗은 느낌을 보여 줍니다. 획의 끝 또는 아래에 다이아몬드, 곡선형 직선 등으로 글자들을 아름답게 만듭니다.

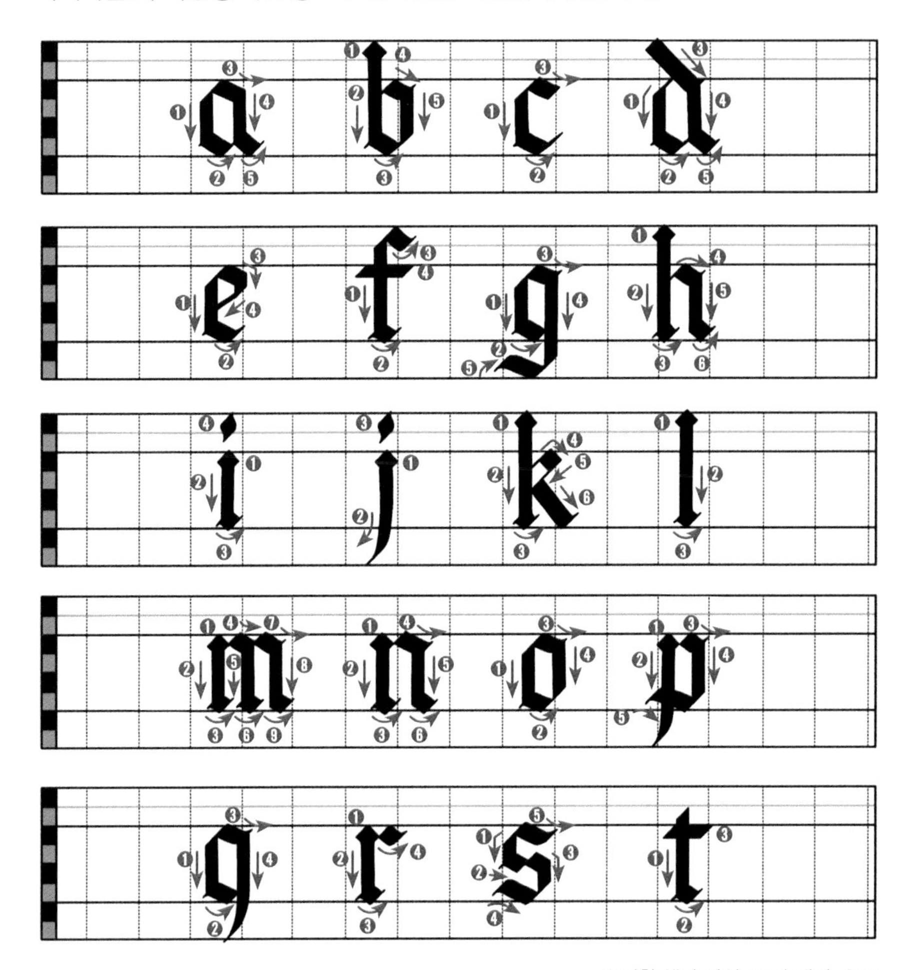

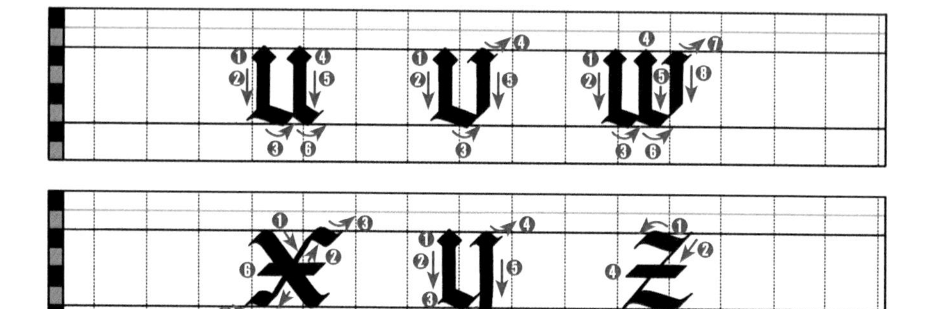

◉ Tip

고딕 브러시를 오른쪽에서 왼쪽으로 비스듬히 기울여 쓰면 얇은 획이 나옵니다.

- 대문자

고딕 캘리 대문자 알파벳은 소문자보다 글자 가로 폭이 넓습니다. 곡선이 있는 세로 획을 두 번 반복하여 각 대문자의 크기가 균형을 이룰 수 있게 합니다. 또한 획의 처음과 끝에 작은 선들을 추가하여 글자를 장식합니다.

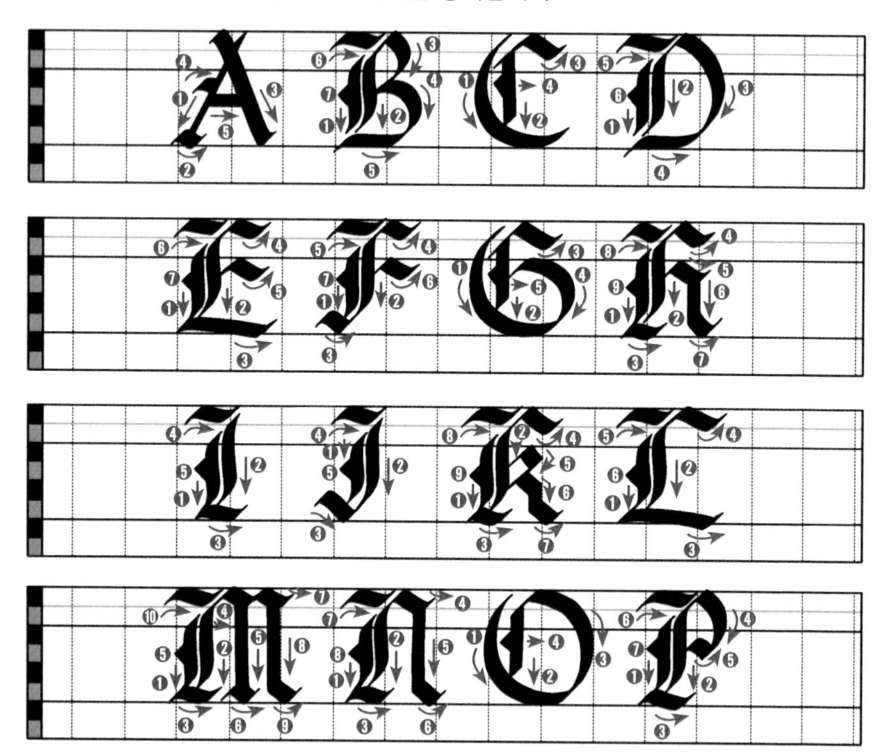

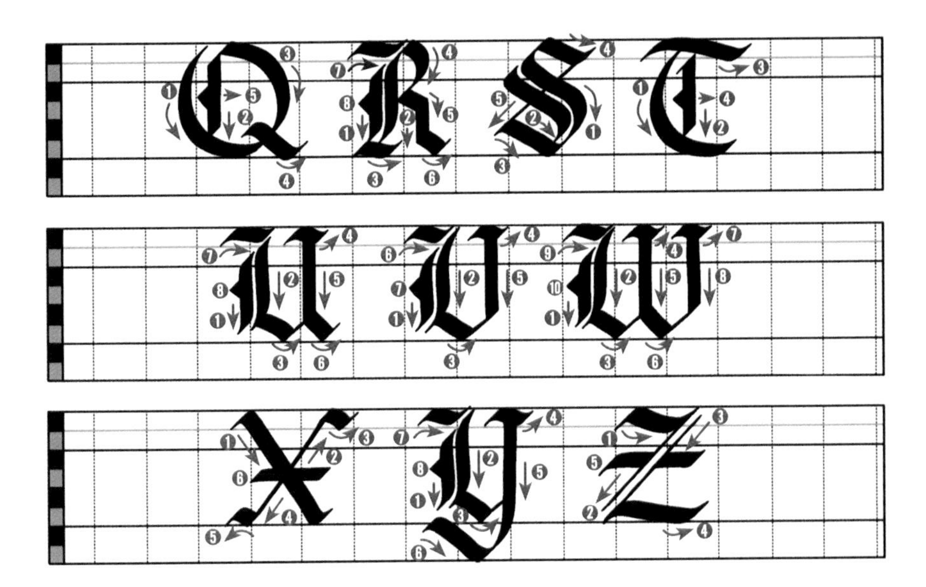

03. 숫자, 기호 쓰기 연습

고딕 캘리 스타일의 숫자와 기호를 따라 써 봅시다.

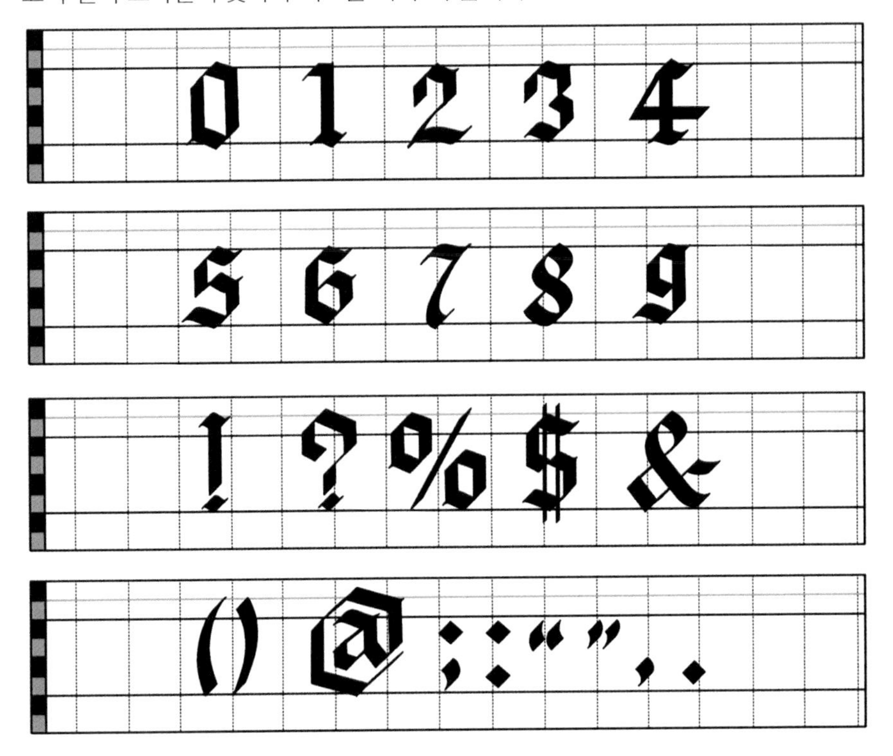

04. 단어 연결 및 문장 쓰기

- 단어 쓰기

행사와 관련된 단어를 고딕 캘리그라피로 써봅시다. 고딕 캘리로 쓴 알파벳들은 각 획에 굵기가 있는 편이라 글씨가 명확해 보이는 장점이 있습니다. 따라서 각종 홍보물, 포스터 등에 자주 사용되곤 합니다. 가이드 라인의 기준선 중심으로 고딕 캘리 대, 소문자를 비율에 맞추어 쓰는 연습을 합니다.

> ▶ 단어 예시: Christmas (크리스마스), Easter (부활절), Ghost (유령), Halloween (할로윈), Festival (축제), Santa (산타), Victory (승리), Magic (마법), Angel (천사), Paradise (천국), Dream (꿈), Birth (출생)

◉ **고딕 캘리 단어 보너스 과제**

축제 관련 단어들을 고딕 캘리그라피로 써보기

- 문장 쓰기

특별한 기념일, 행사와 관련된 어구 들을 고딕 캘리그라피 형태로 적어 봅시다. 아래 영어 글귀의 의미를 숙지하며 한 자 씩 써 내려갑니다. 하나의 어구 내에서 대문자와 소문자가 잘 조화를 이룰 수 있도록 자연스럽게 씁니다. 소문자의 끝부분에 삐침이 있는 네모난 장식 (셰리프)을 붙여, 다음 글자와 이어지게 보이도록 합니다. 대문자와 소문자의 위치에 유의하여 글귀들을 완성 해 봅시다.

▶ 문장 예시: Trick or Treat (간식 안 주면 장난칠 거야), Black Friday (블랙 프라이데이), Valentine's day (밸런타인 데이), Heavy metal (헤비 메탈), Craft Beer (수제 맥주), Rock 'n' Roll (로큰롤)

- 팬그램 쓰기

알파벳 전체 글자들을 캘리그라피로 표현 해 볼 수 있는 시간입니다. 앞 장에서 썼던 영어 문장을 이번에는 고딕 캘리그라피로 쓰는 연습을 합니다. 문장의 첫 시작은 대문자임을 기억하며 소문자와 잘 어울리게 씁니다. 가이드라인 선에 맞추어 팬그램을 깔끔하게 완성 해 봅니다.

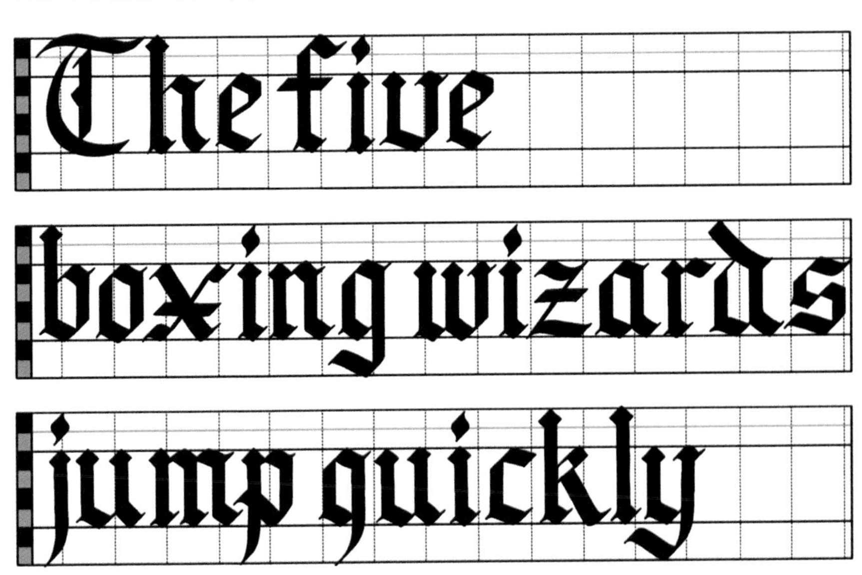

◉ 고딕 캘리 문장 보너스 과제

다음의 팬그램을 고딕 캘리로 써보기: "The quick brown fox jumps over the lazy dog."

우아한 클래식, 이탤릭 캘리

이탤릭 캘리그라피는 16세기 르네상스 시기에 발전한 것으로, 필기체의 느낌을 지니고 있습니다. 약간의 경사가 있는 글씨체 모양입니다. '챈서리 커시브' 또는 '이탤릭 핸드'라고도 불립니다. 리드미컬한 아름다움이 있어 시, 초대장, 카드 등 다목적으로 잘 쓰인답니다.

01. 기본 획 훈련

엑스하이트 높이가 5, 어센더와 디센더의 높이가 4인 4:5:4 비율 가이드라인에 이탤릭 획 연습을 합니다. 서체의 기울기는 5°~10°입니다. 고딕체처럼 세로로 긴 편이나 조금 더 얇고 날렵합니다. 펜촉의 각도는 40°~45°입니다.

- 이탤릭 캘리 브러시 도구

고딕캘리그라피에 쓰는 네모난 닙으로 이탤릭 캘리그라피가 가능합니다. 펜촉의 방향을 움직여 얇은선, 굵은 선, 곡선이 조화를 이루는 이탤릭 글자를 만듭니다. 이탤릭 캘리 전용 프로크리에이트 브러시로도 이탤릭체를 써봅시다.

- 기본 선 연습

브러시 크기를 20%에 맞추어 이탤릭 캘리그라피의 기본 선들을 그려 봅시다. 고딕캘리 브러시에서 크기를 조금만 줄여 하나씩 선 연습을 해 봅니다.

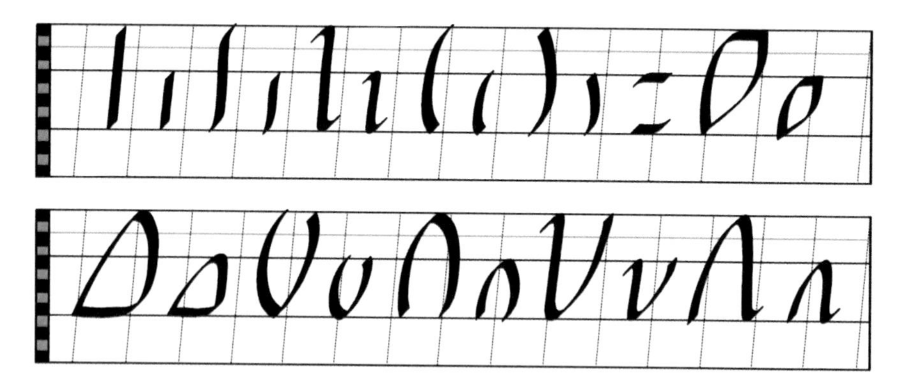

02. 소문자, 대문자 연습

- 소문자

이탤릭 서체는 고딕체와는 다르게 서체가 기울어져 있습니다. 삐침(세리프)을 이용하여 글자를 꾸미는 점은 고딕체와 닮았으나, 보다 얇은 선으로 이루어져 고급스러운 느낌을 줍니다. 어센더와 디센더라인에 유의하며 소문자들을 씁니다.

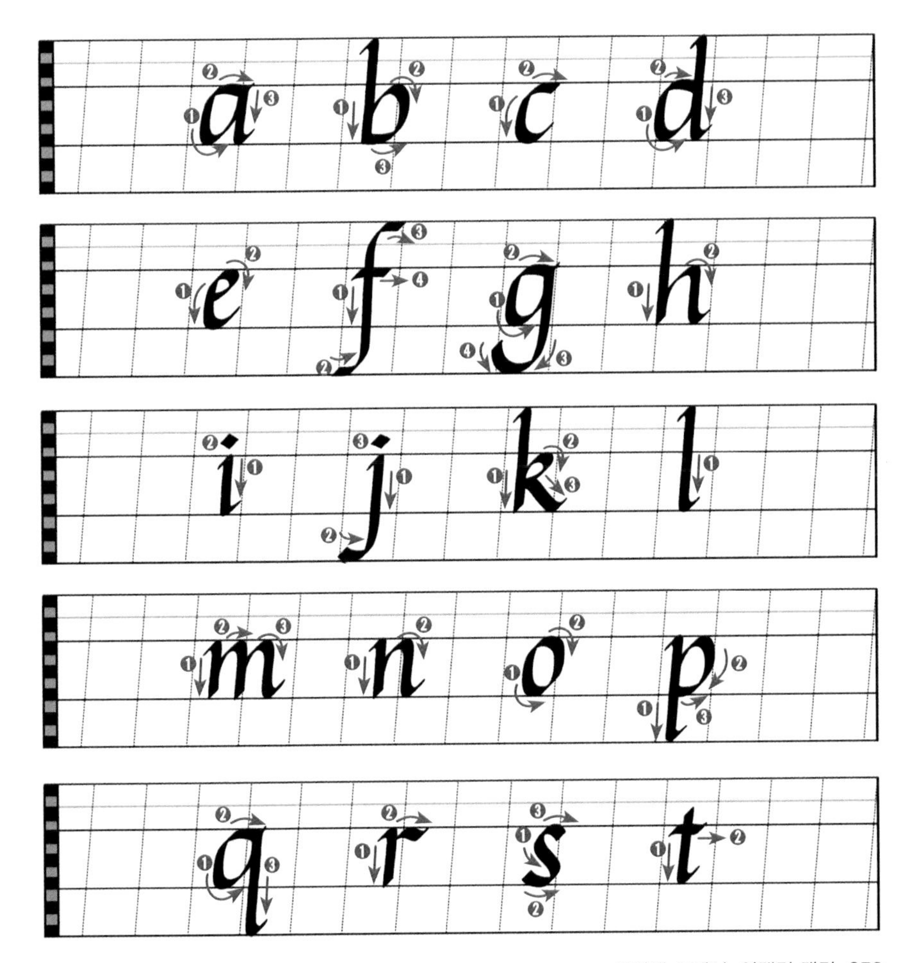

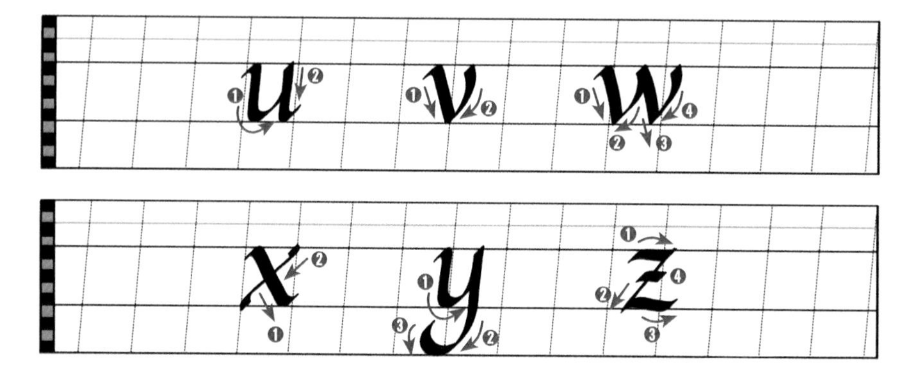

◉ Tip

이탤릭 소문자 'i, j' 안의 다이아몬드 모양 점 대신에, 끝이 뾰족한 곡선형, 작은 사선을 쓰기도 합니다.

- 대문자

이탤릭 캘리그라피 대문자에는 글자 첫 머리에 곡선형 선 '스와시'를 붙여 꾸며줄 수 있습니다. 스와시로 시작하는 이탤릭체는 우아함을 보여줍니다. 가이드라인 속 대문자 선 '캡라인'에 맞추어 이탤릭 대문자들을 써 봅니다.

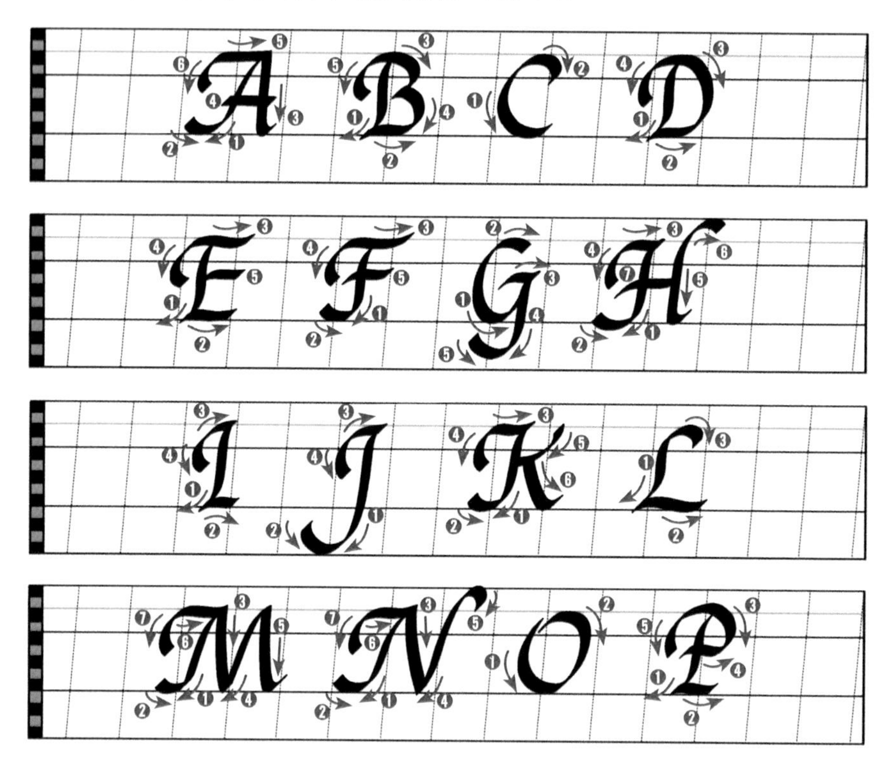

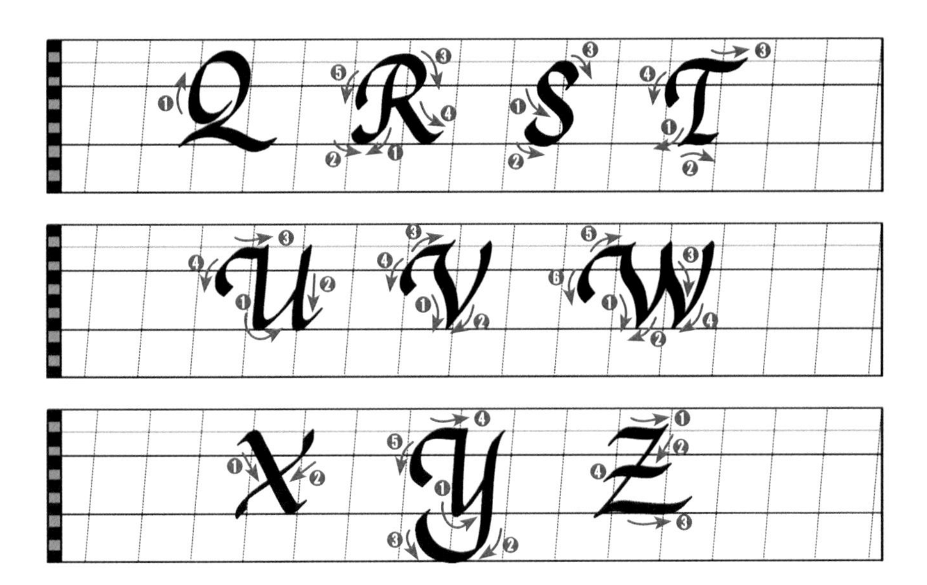

03. 숫자, 기호 쓰기 연습

이탤릭 캘리 스타일의 숫자와 기호를 따라 써 봅시다.

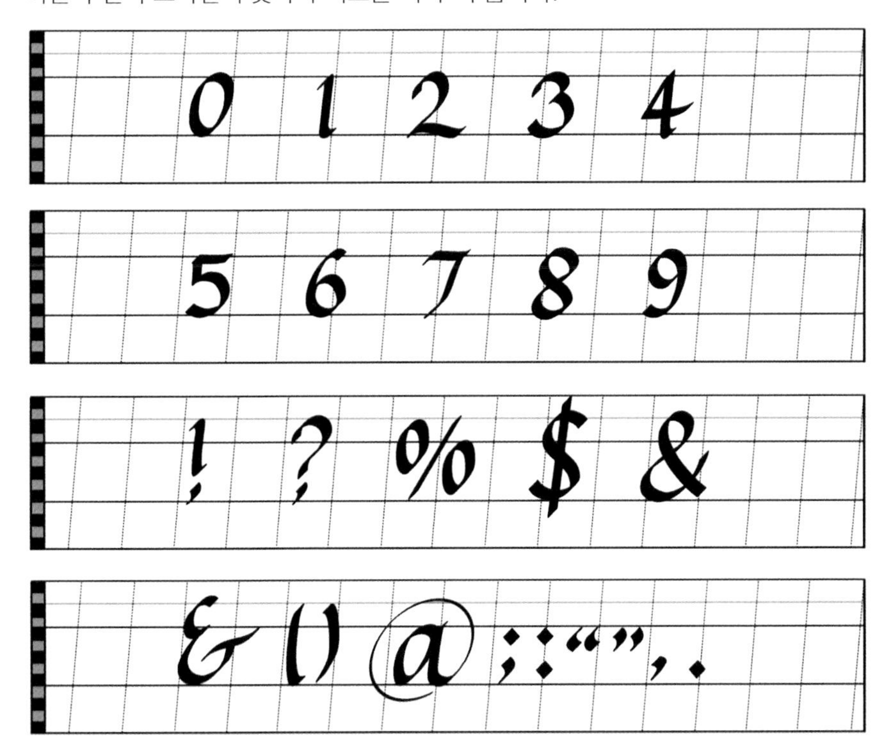

04. 단어 연결 및 문장 쓰기

- 단어 쓰기

추상적인 뜻을 지닌 단어들을 이탤릭 캘리그라피로 나타내 봅시다. 단어 앞 부분은 대문자로 적되, '스와시'를 붙여 꾸며줍니다. 글자 끝의 삐침의 경우, 옆의 글자와 자연스럽게 이어지도록 쓰는 연습합니다. 이탤릭 서체의 기울기를 지키며, 가이드 라인 안에 단어들을 천천히 써 봅니다.

▶ 단어 예시: God (신), Believe (믿다), Hope (희망), Future (미래), Soul (영혼), Present (현재), Trust (신뢰), Respect (존경하다), Life (인생), Mercy (자비), Kind (친절한), Wisdom (지혜)

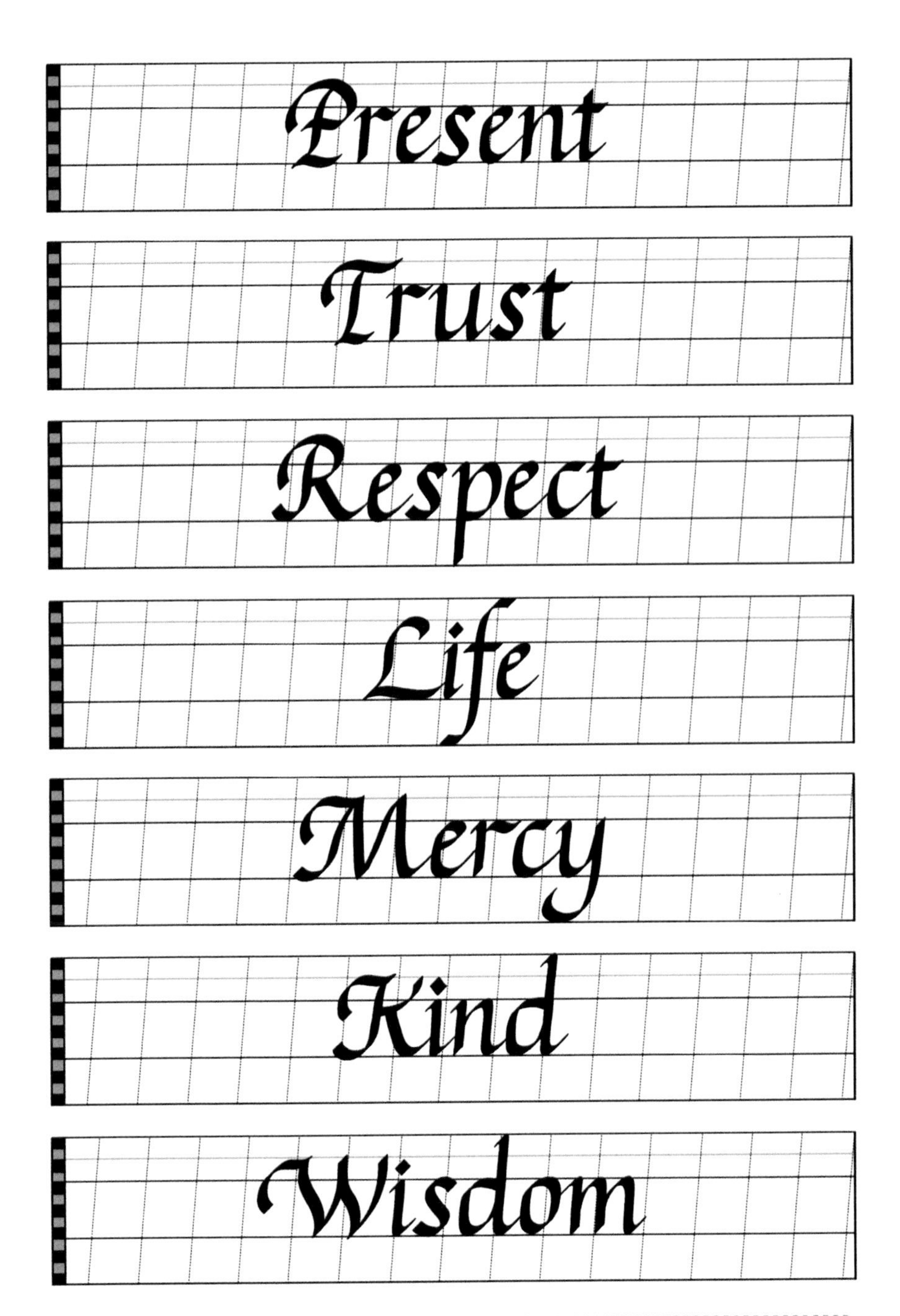

◉ **이탤릭 캘리 단어 추가 과제**

성격 관련 단어들을 이탤릭 캘리그라피로 써보기

- **문장 쓰기**

영어 성경 문구들을 이탤릭 캘리그라피로 적어봅시다. 이탤릭체는 영어 성경에 종종 쓰이고 있어, 좋은 메시지가 담긴 성경 문구들을 이탤릭 캘리그라피로 써 보는 것은 좋은 경험이 될 것입니다. 글귀의 첫 대문자는 곡선형 스와시를 붙여 시작하며, 글자 끝의 삐침이 다음에 오는 글자와 이어져 보이도록 씁니다. 캡라인과 서체 기울기에 유의하여, 성경 글귀들을 쓰는 연습을 합니다.

▶ 문장 예시: Faith over fear (두려움보다 믿음), Keep moving (계속 움직여라),
Be the light (빛이 되어라), Rise again (다시 일어나라),
Simply blessed (그야말로 축복받은), Amazing grace (놀라운 은총)

- 팬그램 쓰기

아래의 팬그램을 이탤릭 캘리그라피로 나타 내 봅시다. 고딕체와는 다르게 각 글자의 선이 얇으면서도 기울어져 있는 특징이 있습니다. 문장의 첫 대문자는 스와시를 붙여 꾸며주고, 다음에 나타나는 소문자들은 약간의 삐침을 살려 적습니다. 디센더 라인까지 내려오는 글자들을 구분하여 캘리그라피로 표현합니다.

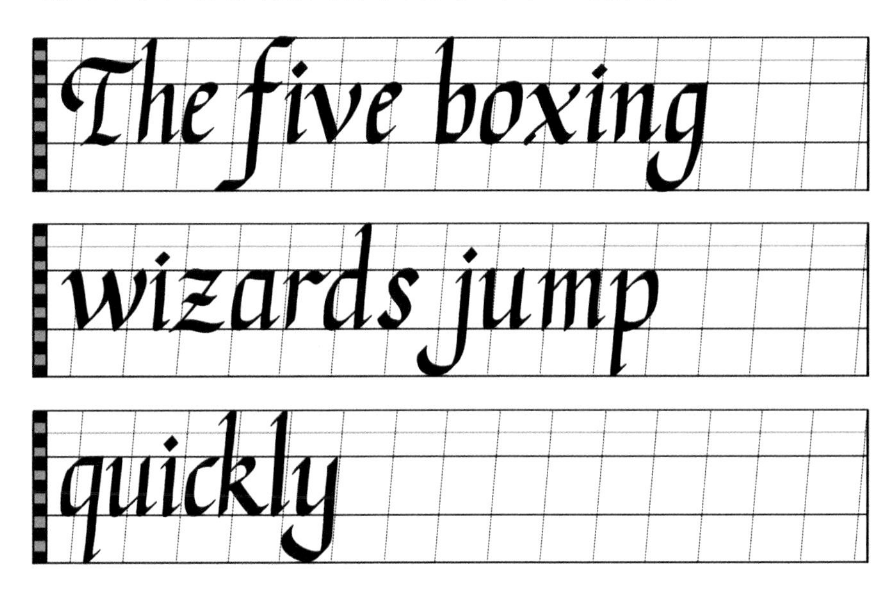

◉ 이탤릭 캘리 문장 보너스 과제

다음의 팬그램을 이탤릭 캘리로 써보기: "Jackdaws love my big sphinx of quartz."

유려한 곡선미, 카퍼플레이트

카퍼플레이트 캘리그라피는 18세기에 발전한 부드러운 글씨체입니다. 유럽에서 16세기 깃털로 쓴 필기체로 시작하였고, 이후 글씨를 판에 찍게 되면서 '동판 (카퍼플레이트)'이라 불렸습니다. 뾰족한 금속닙으로 쓴 글씨이며 '잉글리시 라운드 핸드'라고 불리기도 합니다.

01. 기본 획 훈련

엑스하이트가 2, 어센더와 디센더 높이가 3인 3:2:3 가이드라인에 카퍼플레이트 캘리그라피 연습을 합니다. 서체의 기울기는 수직선을 기준으로 35°입니다. 필압이 있는 획으로, 얇고 굵은 선들이 물결처럼 요동치는 듯 합니다.

- 카퍼플레이트 캘리 브러시 도구

연성 있는 뾰족한 닙으로 카퍼플레이트 캘리를 합니다. 추천 닙으로 니코 G, 브라우스 스테노, 질럿 303 닙 등이 있습니다. 기울기를 지켜 쓰므로 오블리크 펜 대를 사용합니다. 프로크리에이트용 브러시로도 카퍼플레이트 연습을 해 봅시다.

- 기본 선 연습

브러시 크기를 12%에 두고 카퍼플레이트의 기본 선들을 연습 해 봅시다. 필압에 변화를 주며 얇은 선부터 곡선이 있는 선까지 다양하게 그려봅니다.

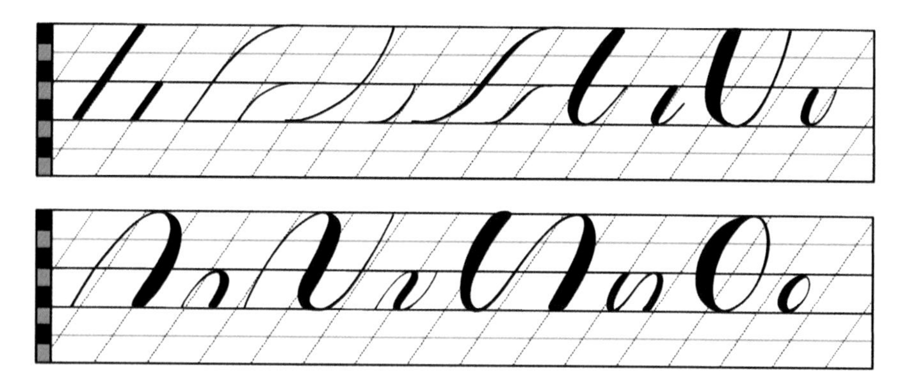

02. 소문자, 대문자 연습

- 소문자

카파플레이트 소문자들은 고딕이나 이탤릭 체와는 달리 부드러운 선들로 이루어져 있습니다. 알파벳의 끝 부분을 셰리프가 아닌 상승형의 얇은 곡선으로 마무리 하게 됩니다. 글자 크기는 너무 크지 않게 적당한 크기로 기울여 씁니다.

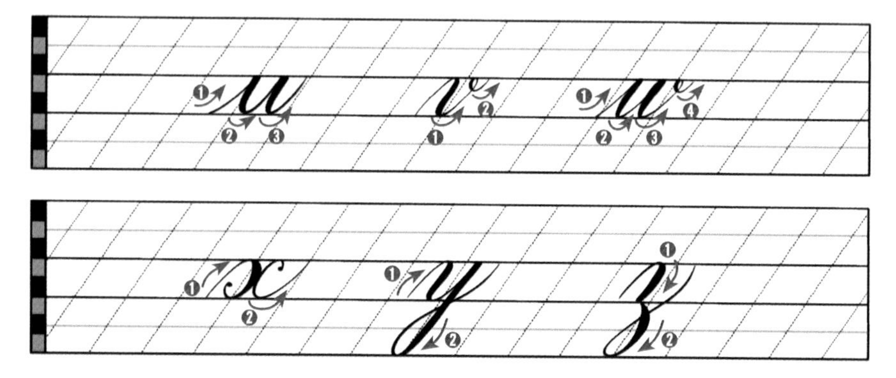

> ◉ Tip
>
> 필압을 많이 주어야 하는 부분과 그렇지 않은 부분을 파악하여 글자의 굵기를 조절 합니다.

- 대문자

카퍼플레이트 대문자에는 장식적인 요소들이 많이 들어있습니다. 아래로 향하는 타원형의 곡선 또는 물결 라인을 글자 시작점에 붙여 우아함을 더합니다. 글자의 끝부분에는 원형 라인과 함께 작은 점으로 마무리 합니다.

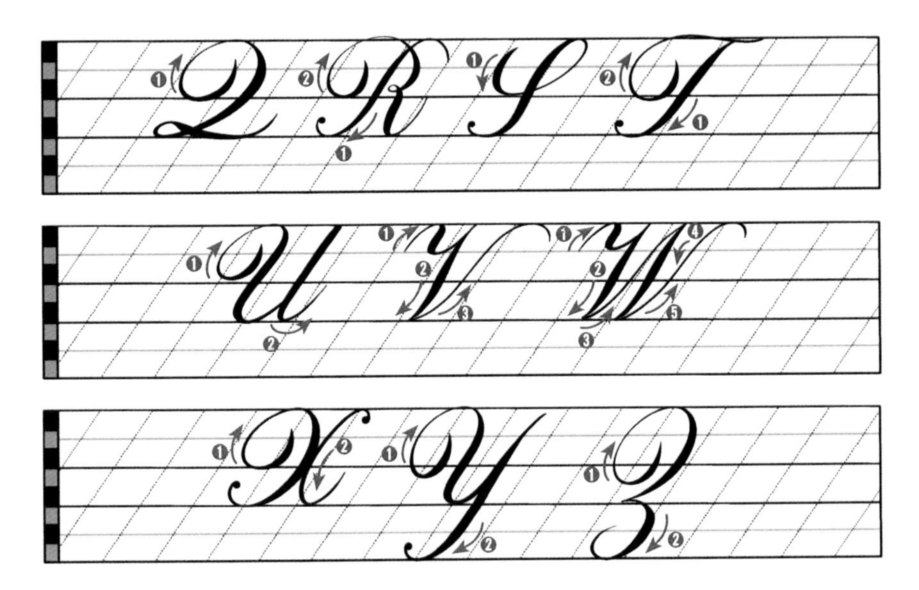

03. 숫자, 기호 쓰기 연습

카퍼플레이트 캘리 스타일의 숫자와 기호를 따라 써 봅시다.

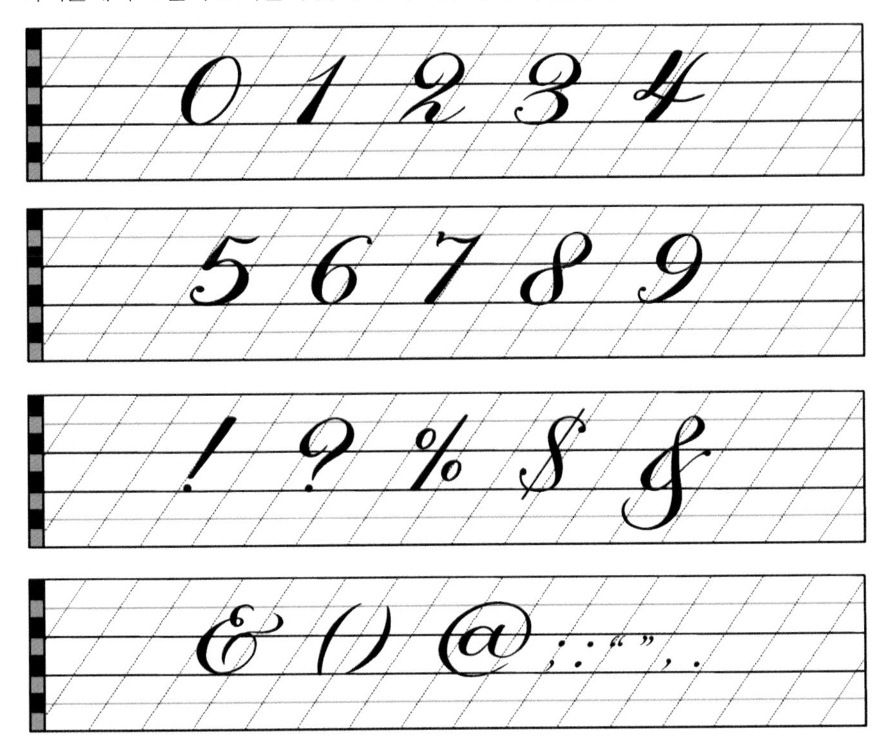

04. 단어 연결 및 문장 쓰기

- 단어 쓰기

식당 관련 표현들을 카퍼플레이트 체로 써 봅시다. 물결같은 곡선미가 강한 카퍼플레이트 캘리그라피 서체는 고급 메뉴판 글씨로 자주 쓰입니다. 필압의 변화에 유의하여 메뉴판에 나올 만한 단어들을 천천히 적습니다. 단어 첫 부분 장식 라인은 타원형 곡선의 특징을 잘 살려 쓰도록 합니다.

▶ 단어 예시: Menu (메뉴), Wine (와인), Fish (생선), Appetizer (식전 음식), Juice (주스), Amuse (즐겁게 하다), Breakfast (아침 식사), Starter (첫 번째 코스 요리), Lunch (점심 식사), Entree (주요리), Dinner (저녁 식사), Dessert (디저트)

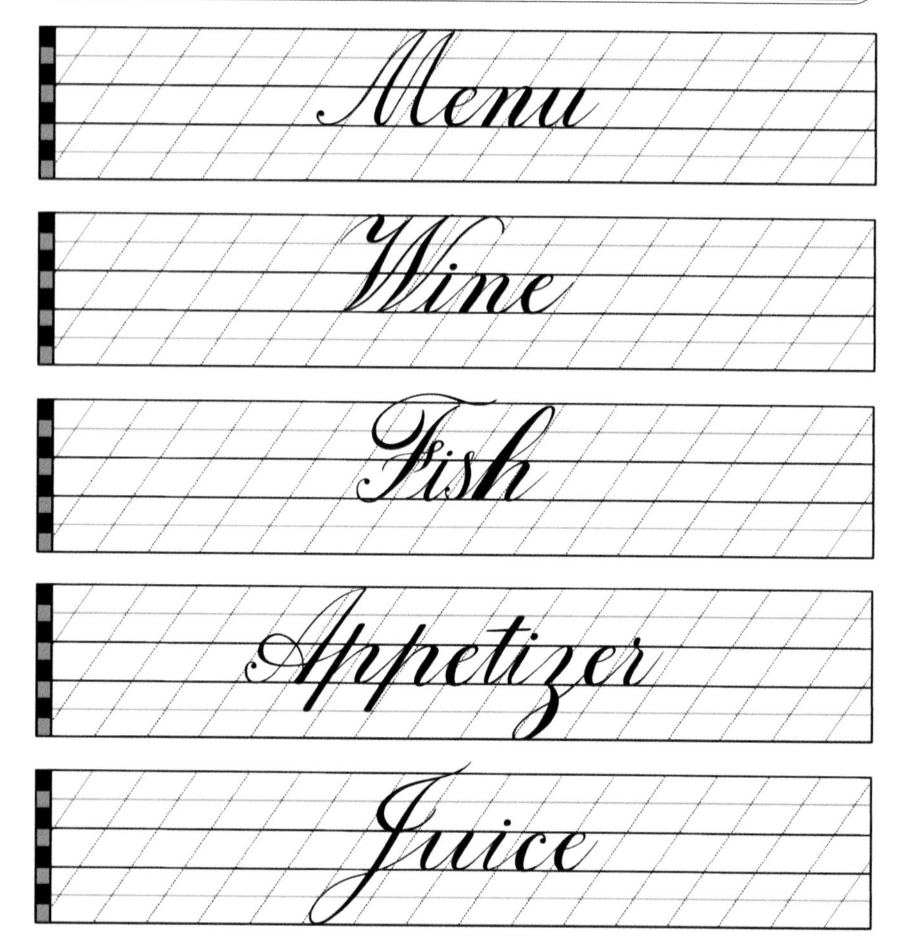

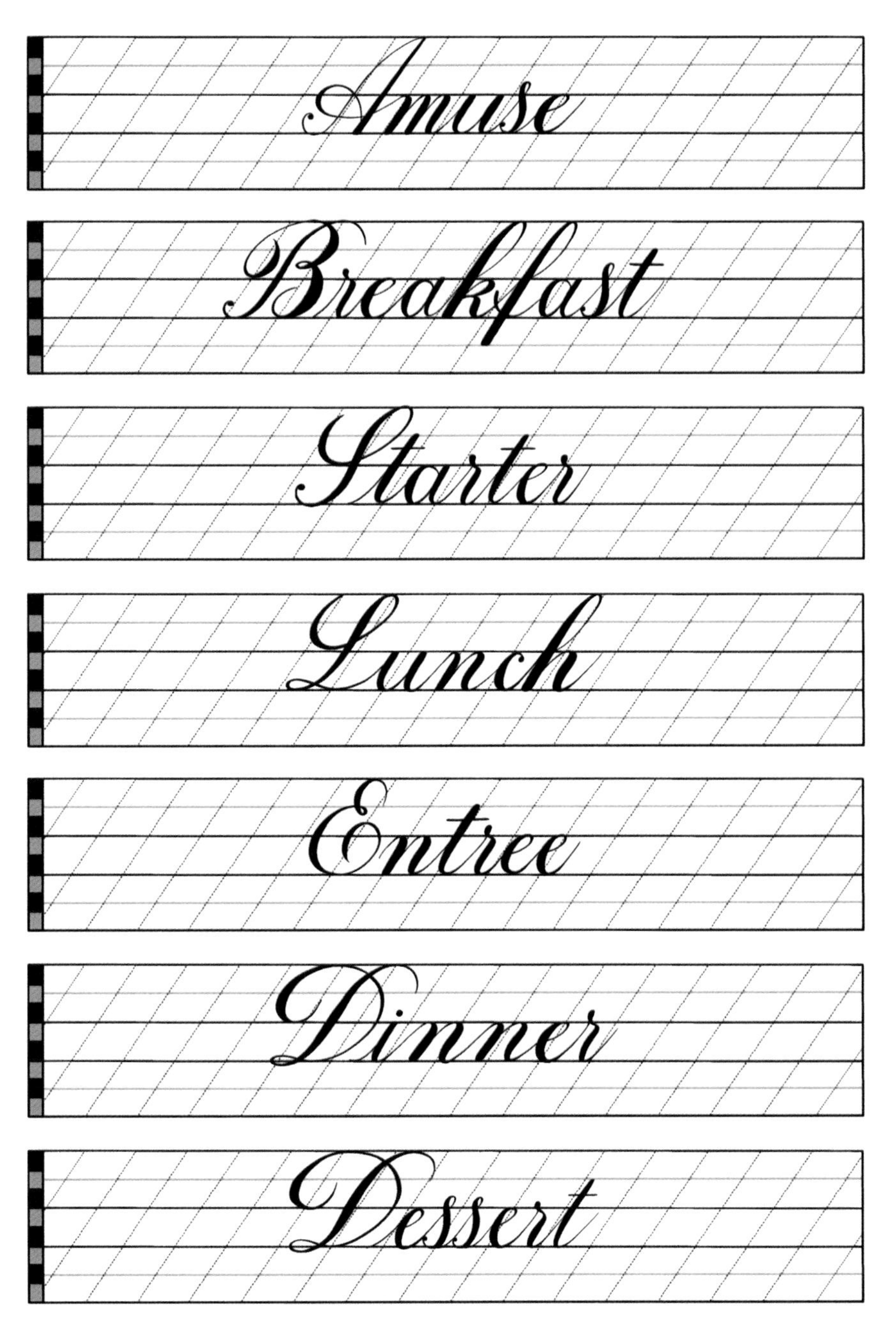

◉ 카퍼플레이트 캘리 단어 보너스 과제

빵 관련 단어들을 카퍼플레이트 캘리그라피로 써보기

- **문장 쓰기**

음식 메뉴판에 쓰일 만한 글귀들을 카퍼플레이트 체로 나타 내 봅니다. 다음의 글귀들을 쓰는 연습은 실제 메뉴판 영문 캘리그라피 작업 시 도움이 될 것입니다. 아래로 향하는 획은 두껍게, 상승하는 획은 얇게 하여 글씨에 리듬감을 줍니다. 인접한 글자 사이가 떨어져 보이지 않도록, 얇은 곡선으로 이어 붙입니다. 각 표현의 의미를 되새기며 한 자씩 써 봅시다.

▶ 문장 예시: Main course (주요리), Coffee break (휴식 시간), Takeout available (포장 가능한), House special (셰프가 제공하는 특별 요리), Snack food (간식), Incredibly delicious (엄청나게 맛있는)

- 팬그램 쓰기

알파벳 A~Z까지 적어도 하나씩 써 볼 수 있는 다음 팬그램 문장을 카퍼플레이트 캘리그라피로 적어봅시다. 한 문장이 물 흐르는 느낌이 드는 듯 굵기를 조절하여 씁니다. 팬그램 첫글자는 장식을 붙인 대문자임을 알고, 가이드라인에 맞춰 대문자 크기를 적당히 합니다. 이후 나오는 소문자들은 자연스럽게 연결 짓습니다.

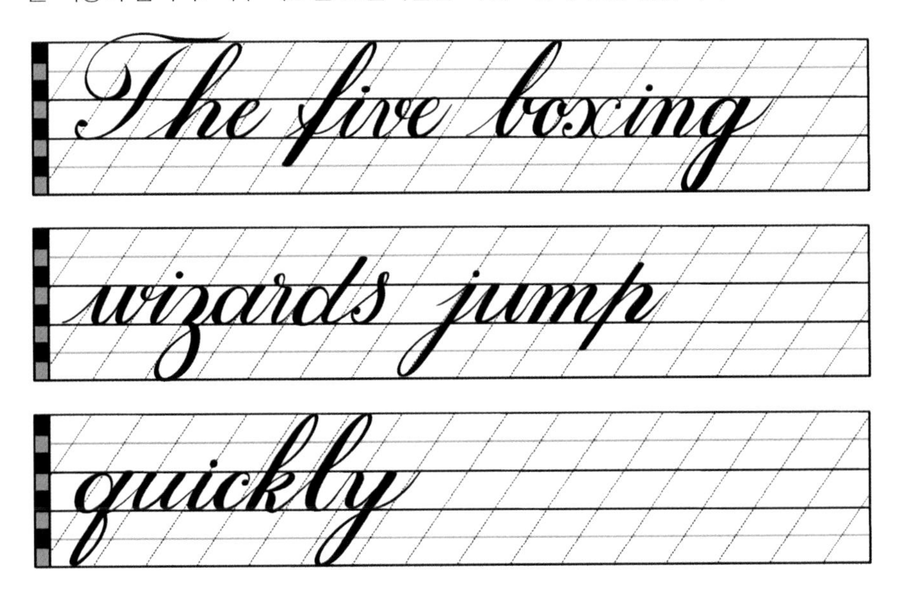

◉ 카퍼플레이트 캘리 문장 보너스 과제

다음의 팬그램을 카퍼플레이트 캘리로 써보기: "Two driven jocks help fax my big quiz."

프리한 스타일, 모던 캘리

모던 캘리그라피는 전통적인 규칙을 따르지 않는 오늘날의 글씨체입니다. 카퍼플레이트에 뿌리를 두고 있으나, 형식이 자유로워 변형 서체들이 많이 있습니다. 보다 새롭고 유연함이 있어, 글쓴이 개성을 글씨에 담을 수 있어요. 봉투, 초대장, 엽서 등 실생활에 자주 쓰입니다.

01. 기본 획 훈련

엑스하이트가 2, 어센더와 디센더 높이가 3인 3:2:3 가이드라인에 모던 캘리를 합니다. 서체 기울기는 자유로우나, 편의상 수직선 기준 25°로 맞추어 놓았습니다. 정해진 틀이 없어 사람마다 필압에 변화주어 모던 캘리를 다양하게 표현합니다.

- 모던 캘리 브러시 도구

필압이 있는 어떤 도구든 모던 캘리를 할 수 있습니다. 브러시 펜, 연성 있는 뾰족 닙펜, 마커, 연필 등이 예입니다. 뾰족 딥펜으로는 니코 G, 판넨 닙, 브라우스 스테노 닙 등을 추천합니다. 아래 프로크리에이트용 브러시로 모던 캘리를 써 봅시다.

- 기본 선 연습

브러시 크기를 10%에 맞춰 모던 캘리 기본 선 연습을 합시다. 카퍼플레이트 선연습 때처럼, 필압에 변화를 주어 다양한 모양, 굵기의 선들을 따라 그립니다.

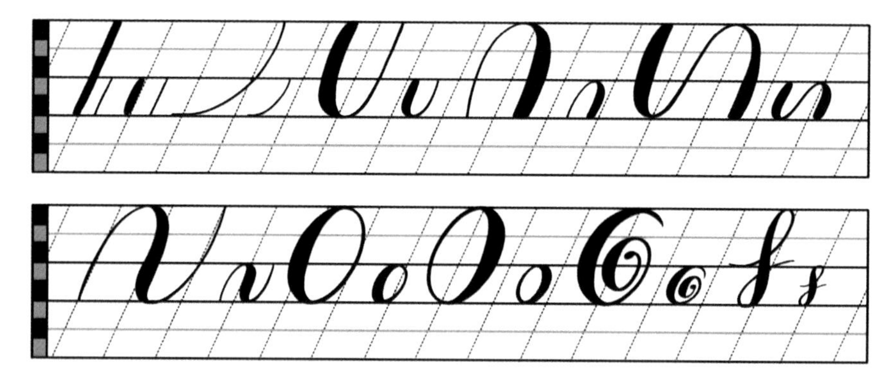

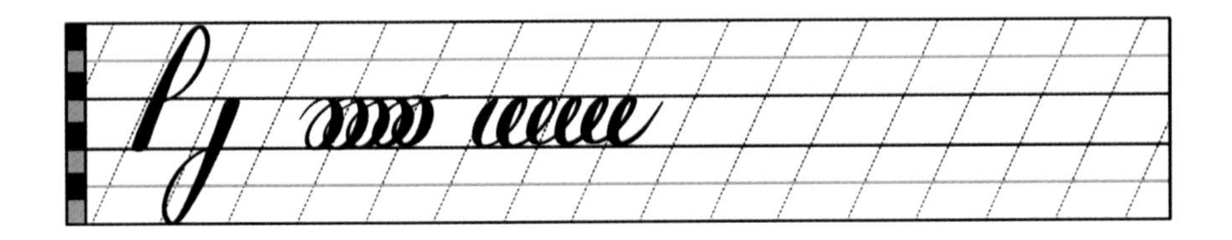

02. 소문자, 대문자 연습

- 소문자

모던 캘리그라피로 쓴 소문자들은 카퍼플레이트 소문자들과 비슷하게 부드러운 선으로 구성되어 있습니다. 단, 카퍼 플레이트 소문자는 반듯한 느낌이 있는 반면, 모던캘리 소문자는 좀 더 둥글고 귀여운 느낌을 줍니다.

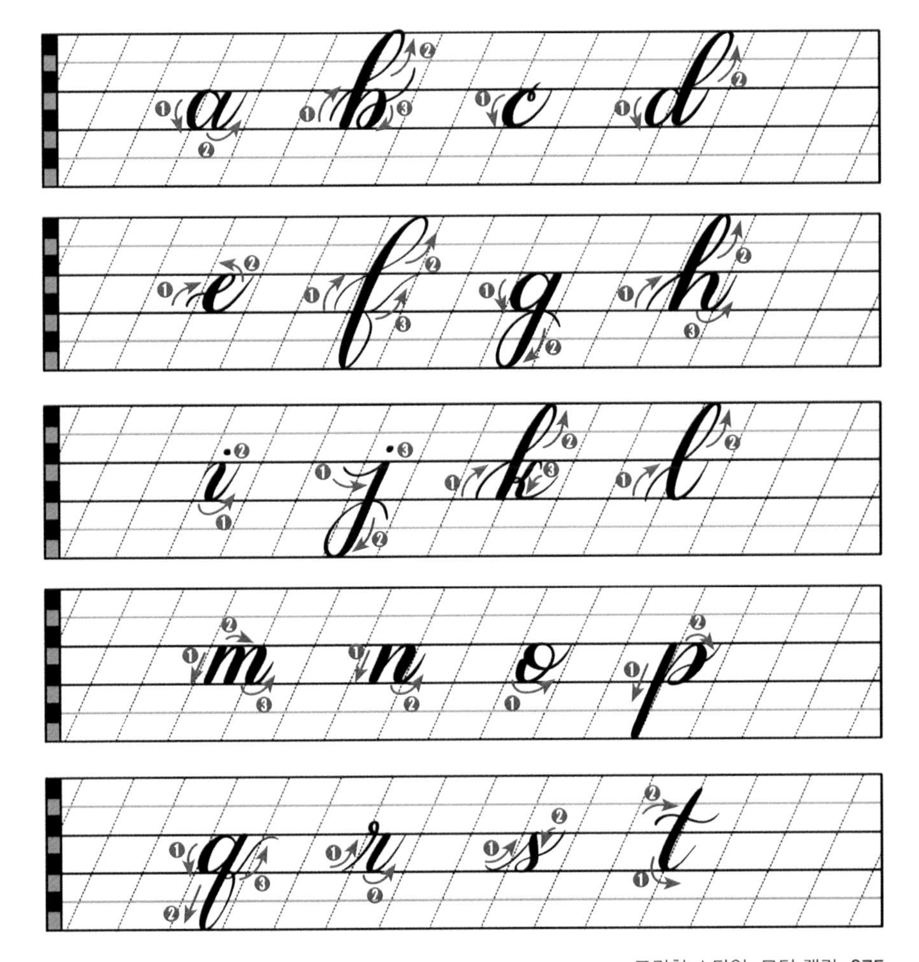

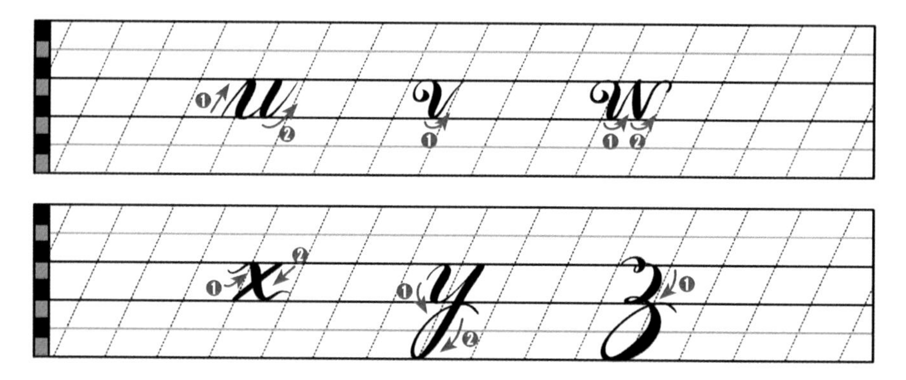

◉ Tip

규칙에 얽매일 필요없이, 본인만의 모던 캘리그라피 체를 만들어 봅니다.

- 대문자

모던캘리 대문자는 소문자와 마찬가지로 특정 형식에 얽매이지 않습니다. 둥근 곡선이 대문자 알파벳의 처음 또는 끝부분에 붙어 있어, 부드러운 느낌이 납니다. 아래와 같이 대문자가 어센더 라인까지 닿을 수 있도록 따라 씁니다.

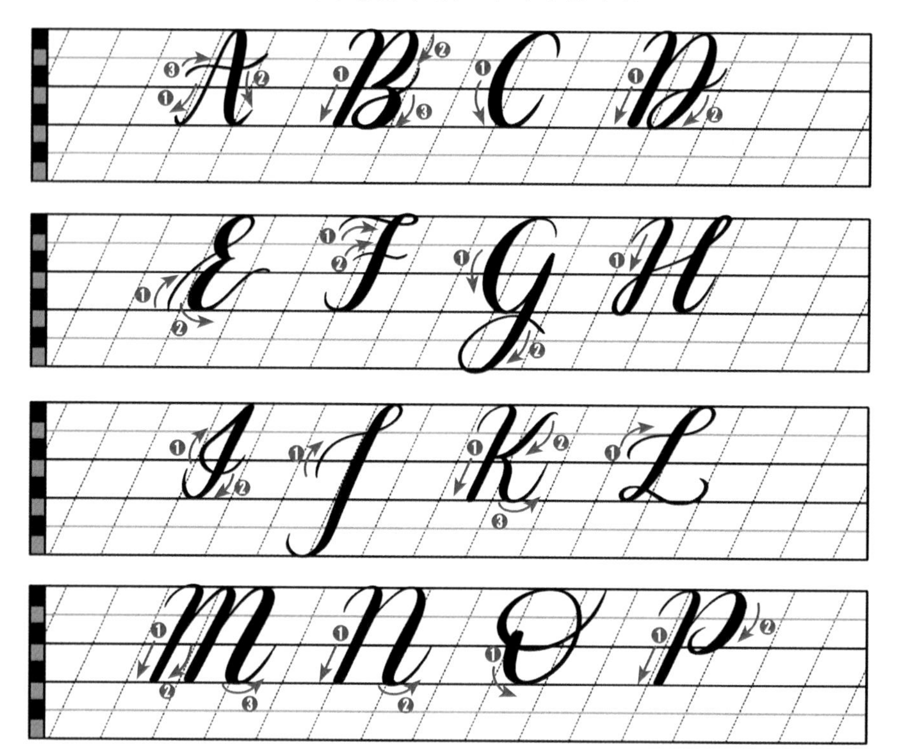

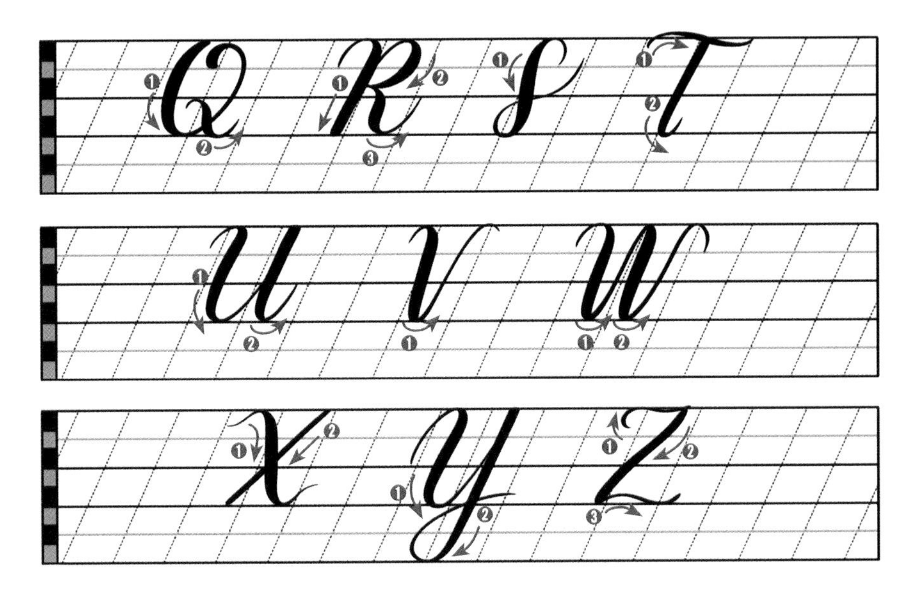

03. 숫자, 기호 쓰기 연습

모던 캘리 스타일의 숫자와 기호를 따라 써 봅시다.

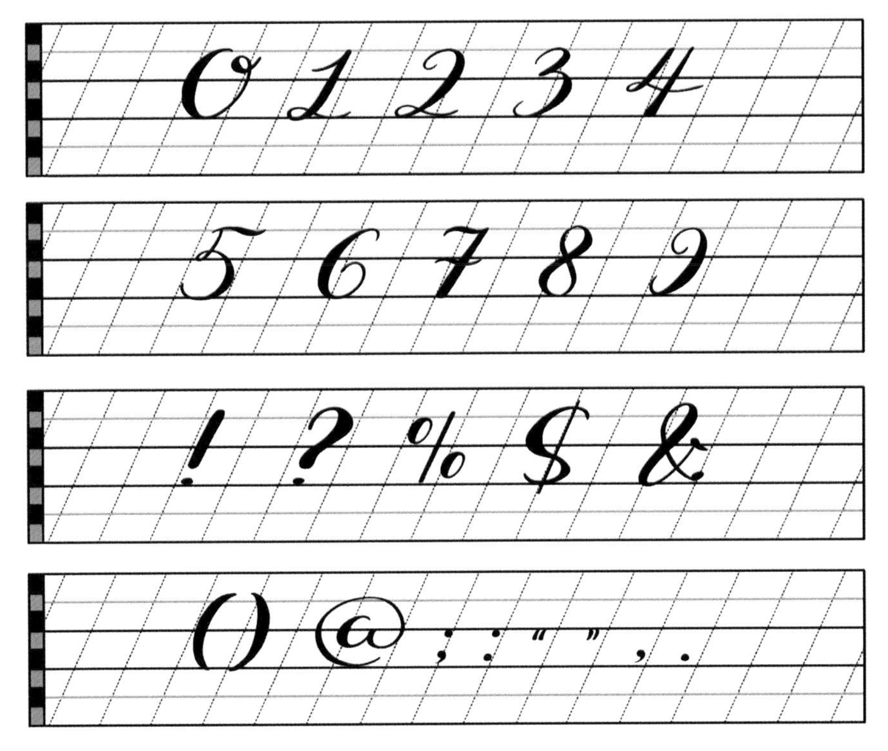

04. 단어 연결 및 문장 쓰기

- 단어 쓰기

결혼식 관련 단어들을 모던캘리그라피로 써 봅시다. 모던한 이 서체는 실용도가 높아 각종 이벤트, 행사 홍보 등에 사용되곤 합니다. 단어의 첫 대문자는 곡선으로 시작하여 쓰고, 다음 나오는 소문자들을 부드럽게 이어 붙입니다. 필압에 변화를 주어 모던 캘리그라피 만의 자유로움, 밝은 느낌이 나게 합니다.

▶ 단어 예시: Bride (신부), Wedding (결혼), Groom (신랑), Love (사랑), Guest (손님), Ceremony (의식), Vows (맹세), Invitation (초대장), Dress (드레스), Husband (남편), Ring (반지), Wife (아내)

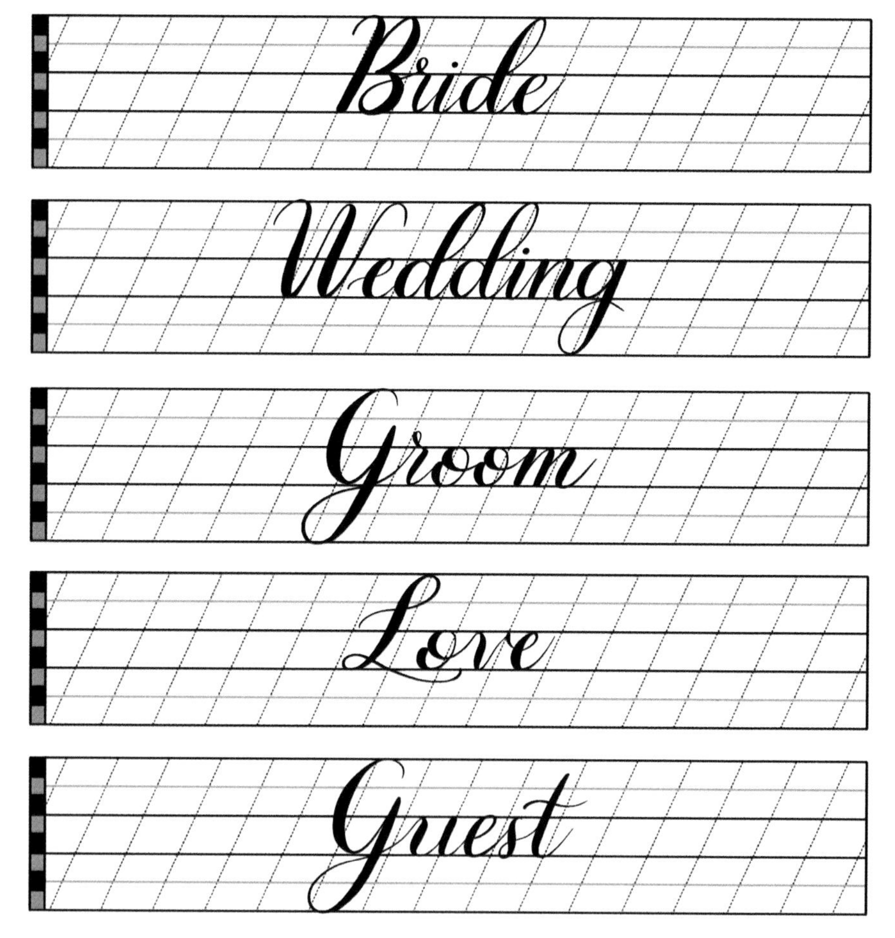

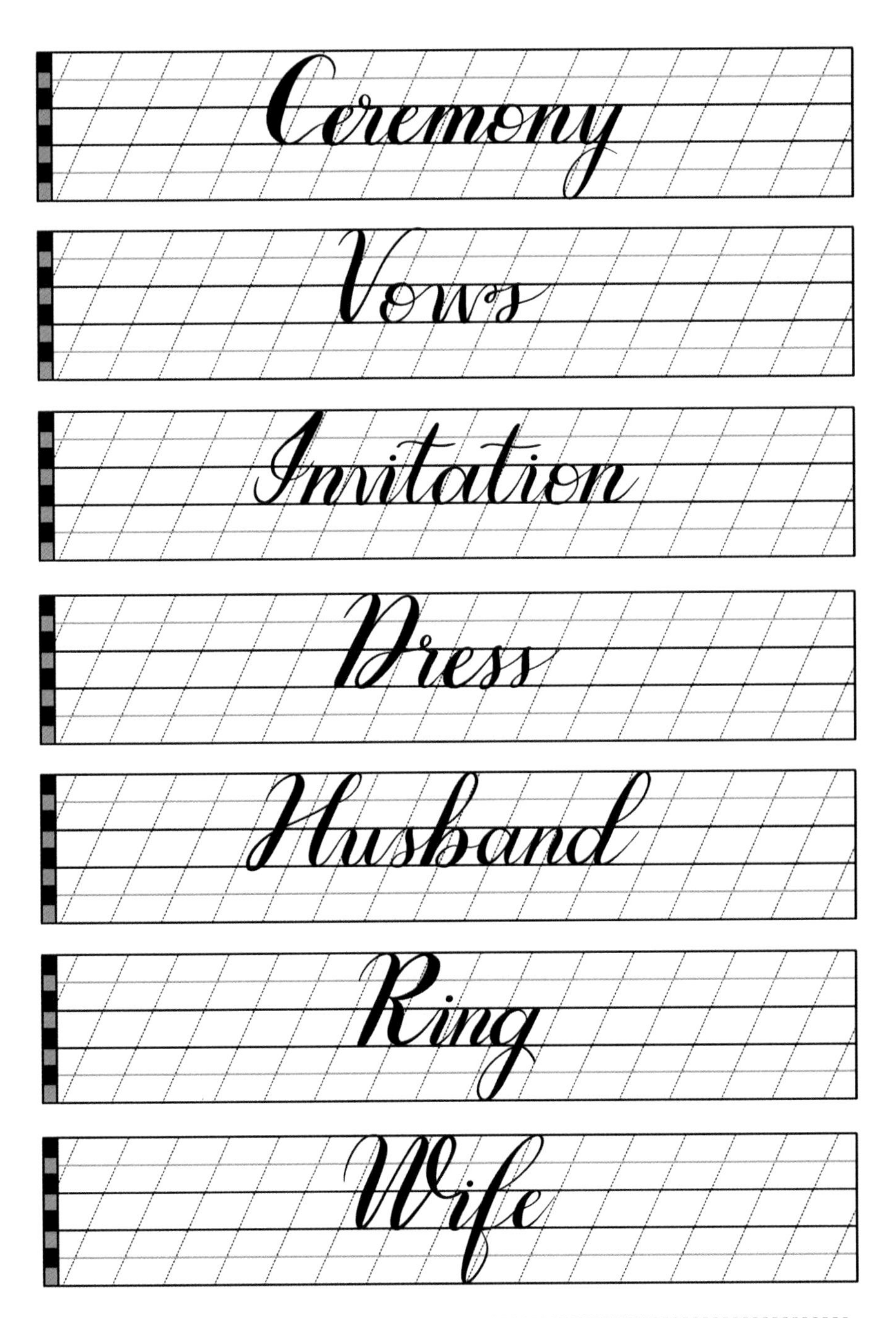

◉ **모던 캘리 단어 보너스 과제**

기념일관련 단어들을 모던 캘리그라피로 써보기

- 문장 쓰기

웨딩 관련 문구들을 모던캘리그라피 형태로 적어봅시다. 형식이 자유로워서 청첩장, 웨딩 보드 등 웨딩 행사에 모던한 캘리 서체가 사용됩니다. 아래 표현들의 뜻을 기억하며 적절한 속도로 따라 씁니다. 각 알파벳들은 필압에 변화를 주어, 직선보다는 부드러운 곡선으로 꾸며 쓰도록 합니다. 글자들이 서로 떨어져 보이지 않도록 곡선으로 연결하여 자연스럽게 합니다.

> ▶ 문장 예시: Just married (방금 결혼했어요), Best day ever (역대 최고의 날), Happily ever after (평생 행복하게), Thank you (감사합니다), Save the date (그 날을 기억해), Love never fails (사랑은 결코 실패하는 법이 없어)

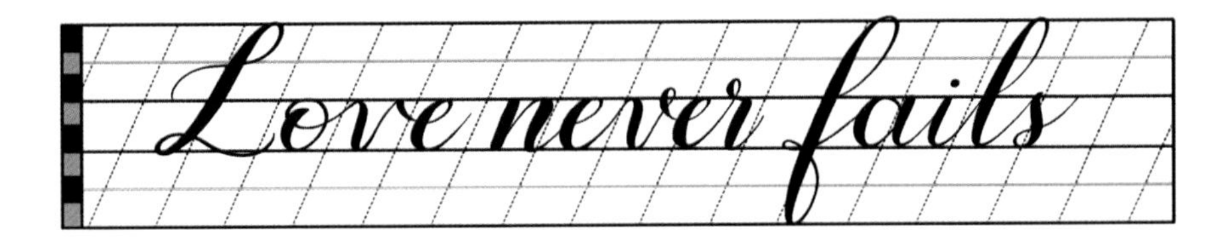

- 팬그램 쓰기

다음의 팬그램을 모던 캘리그라피로 나타 내 봅시다. 모던 캘리 서체가 카퍼플레이트에 기원을 두고 있어, 카퍼플레이트로 적었던 팬그램 문장과 닮아 보이는 면이 있습니다. 그러나 엄연히 다른 서체임을 명심하여, 아래의 팬그램을 좀 더 둥글고 리듬감 있게, 모던한 캘리그라피 서체로 적어봅니다.

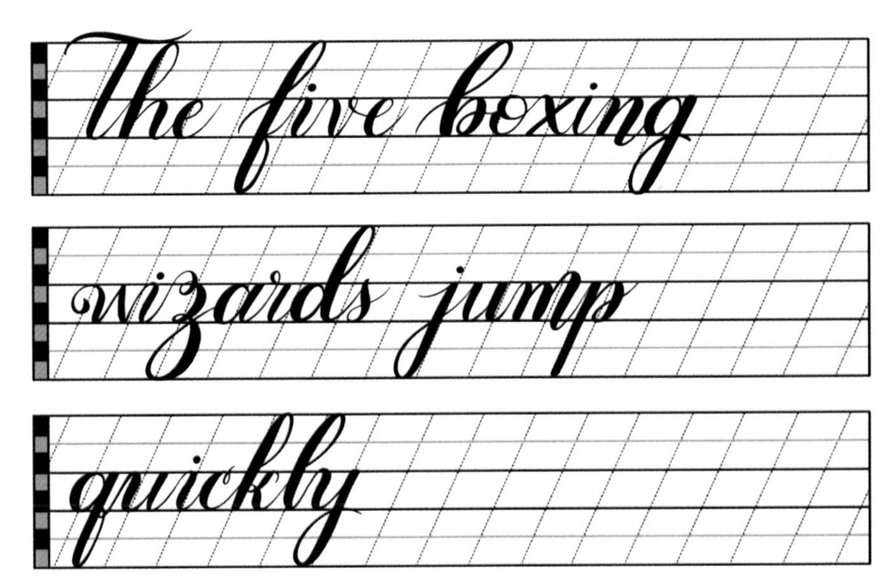

◉ **모던 캘리 문장 추가 과제**

다음의 팬그램을 모던 캘리로 써보기: "How vexingly quick daft zebras jump!"

통통튀는 리듬감, 모던 변형 캘리

모던 변형 캘리는 형식이 자유로운 모던 캘리 서체 중 하나입니다. 공이 위 아래로 통통 튀는 듯 리듬감이 살아있어, '바운시 (Bouncy) 모던 캘리그라피'라고 불립니다. 길게 늘인 곡선을 더하며, 나만의 모던 변형 캘리 서체를 디자인 해보는 재미를 느껴 보세요.

01. 바운시 캘리그라피란?

바운시 캘리그라피는 글자들이 서로 춤추는 것처럼 보이는 서체로서, 모던 변형 캘리그라피의 일종입니다. 기존 모던 캘리 서체는 기준선을 중심으로 글자가 정렬이 된다면, 바운시 모던 캘리체는 기준선 주변부로 글자가 위 아래로 위치하게 됩니다. 글자의 어센더 부분을 좀 더 높은 위치에 두고, 디센더 부분은 더 아래에 놓이게 하여 글자 간 통통 튀는 느낌이 납니다.

- 모던 변형 캘리 브러시 도구

필압이 있는 브러시라면 얼마든지 모던 변형 캘리그라피 또한 잘 할 수 있습니다. 브러시펜 류가 대표적인 예입니다. 프로크리에이트에서는 줄노트형 모던 변형 가이드라인에 모던캘리 전용 브러시를 10%로 설정하여 변형된 모던 캘리체를 적습니다.

- 바운시 모던 캘리 규칙

▲ 기본 모던 캘리그라피 서체

▲ 바운시 모던 캘리그라피 서체

① 가이드라인 기준선 위 아래로 글자를 정렬합니다.

② 같은 글자를 연이어 쓸 경우, 그 중 하나의 크기 또는 모양에 변형을 줍니다.

③ 글자 간격을 보통 ~ 넓게 변화를 주며 쓴다. 기본 모던 서체도 마찬가지입니다.

02. 소문자, 대문자 연습

- 소문자

모던캘리 기본 소문자에 곡선을 붙여 모던체에 변형을 줍니다. 글자의 앞부분 또는 끝부분을 길게 하여 소문자 알파벳에 역동성이 느껴지게 합니다. 기본 모던 소문자 서체는 주로 가이드라인의 기준선과 허리선 안에 글자가 위치한 반면, 변형된 모던 서체는 기준 범위 바깥으로 알파벳이 뻗어 나가는 모양입니다.

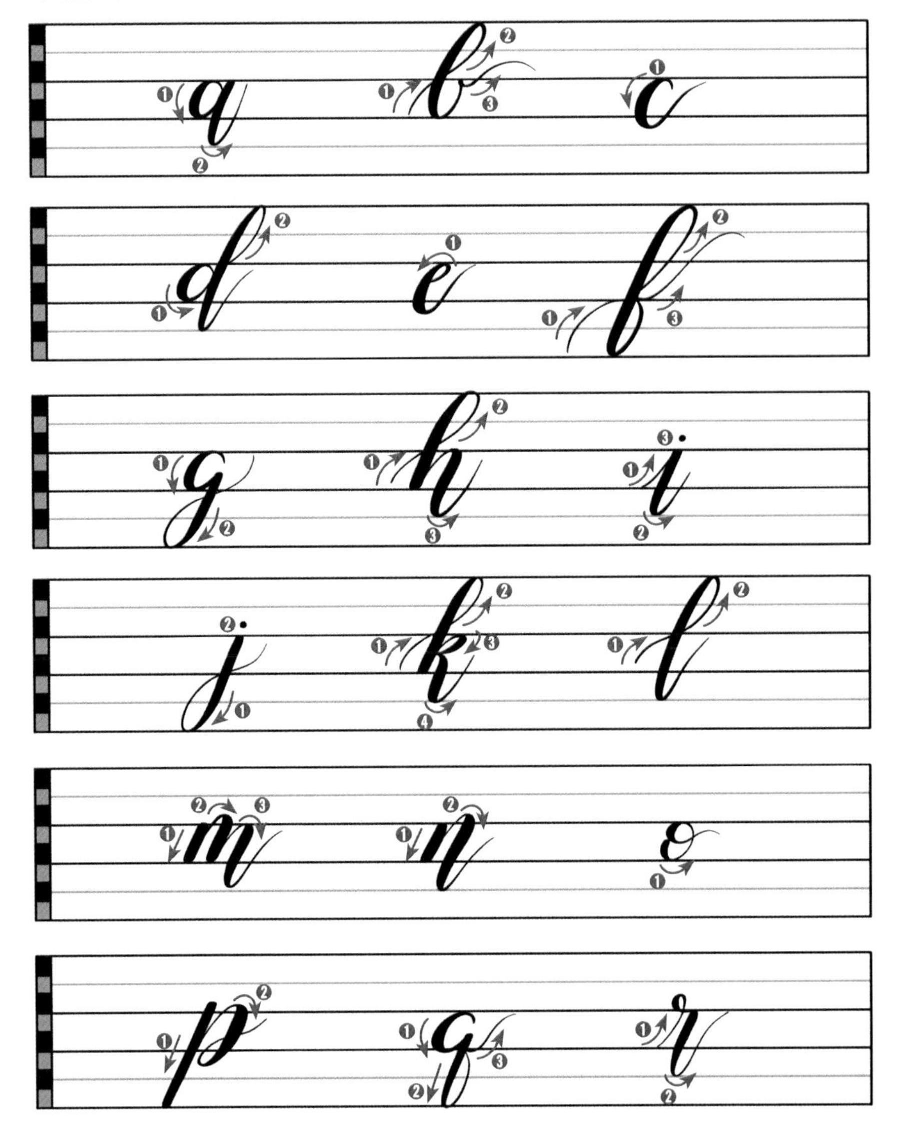

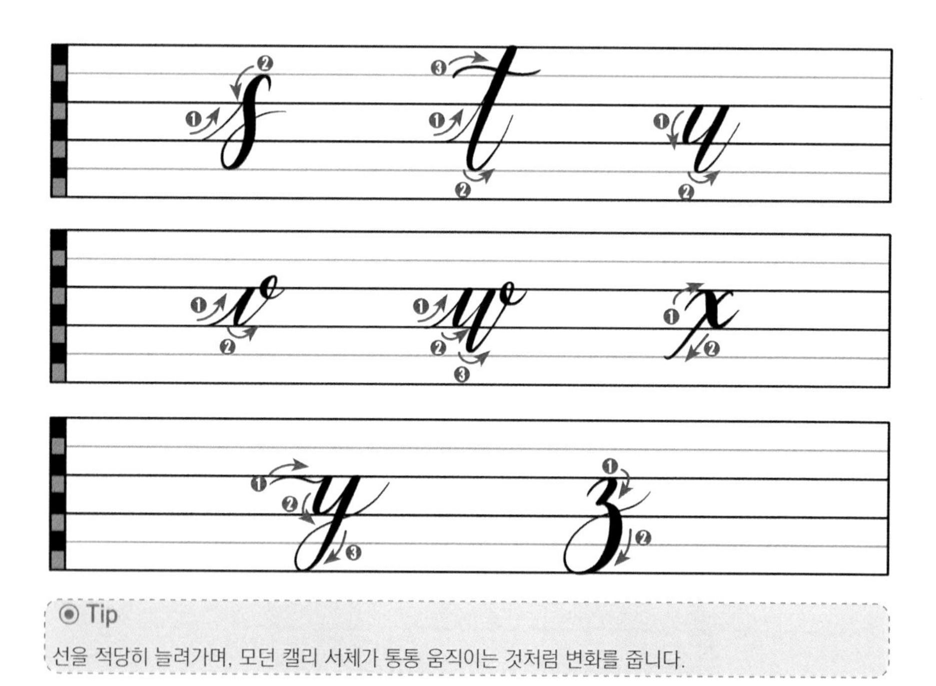

◉ Tip

선을 적당히 늘려가며, 모던 캘리 서체가 통통 움직이는 것처럼 변화를 줍니다.

- 대문자

모던 변형 대문자 알파벳을 기존 형식에서 벗어나 자유로운 스타일로 씁니다. 글자 일부 선들이 기준선을 살짝 벗어나게 하여, 모던 변형 대문자에 생동감을 부여합니다. 곡선을 다른 선과 교차하거나, 획끼리 부드럽게 연결되어 보이게 합니다.

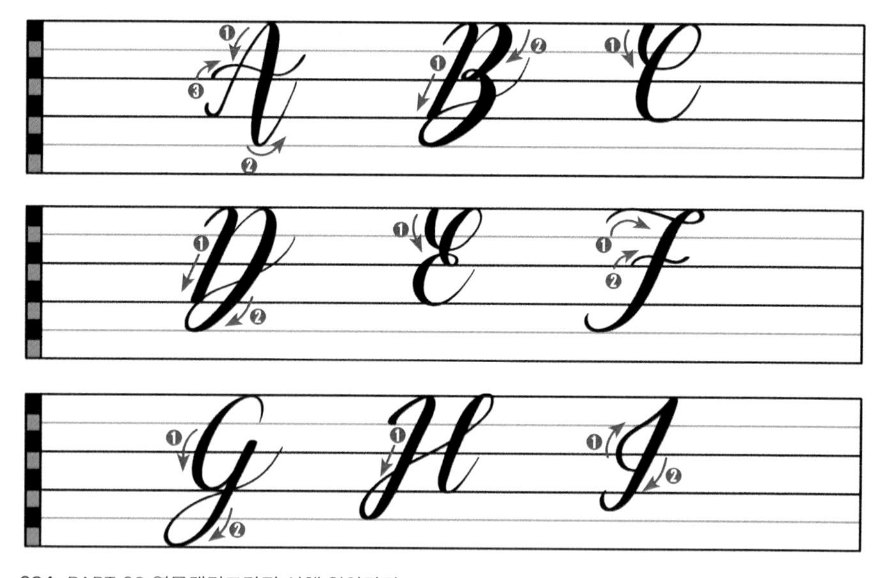

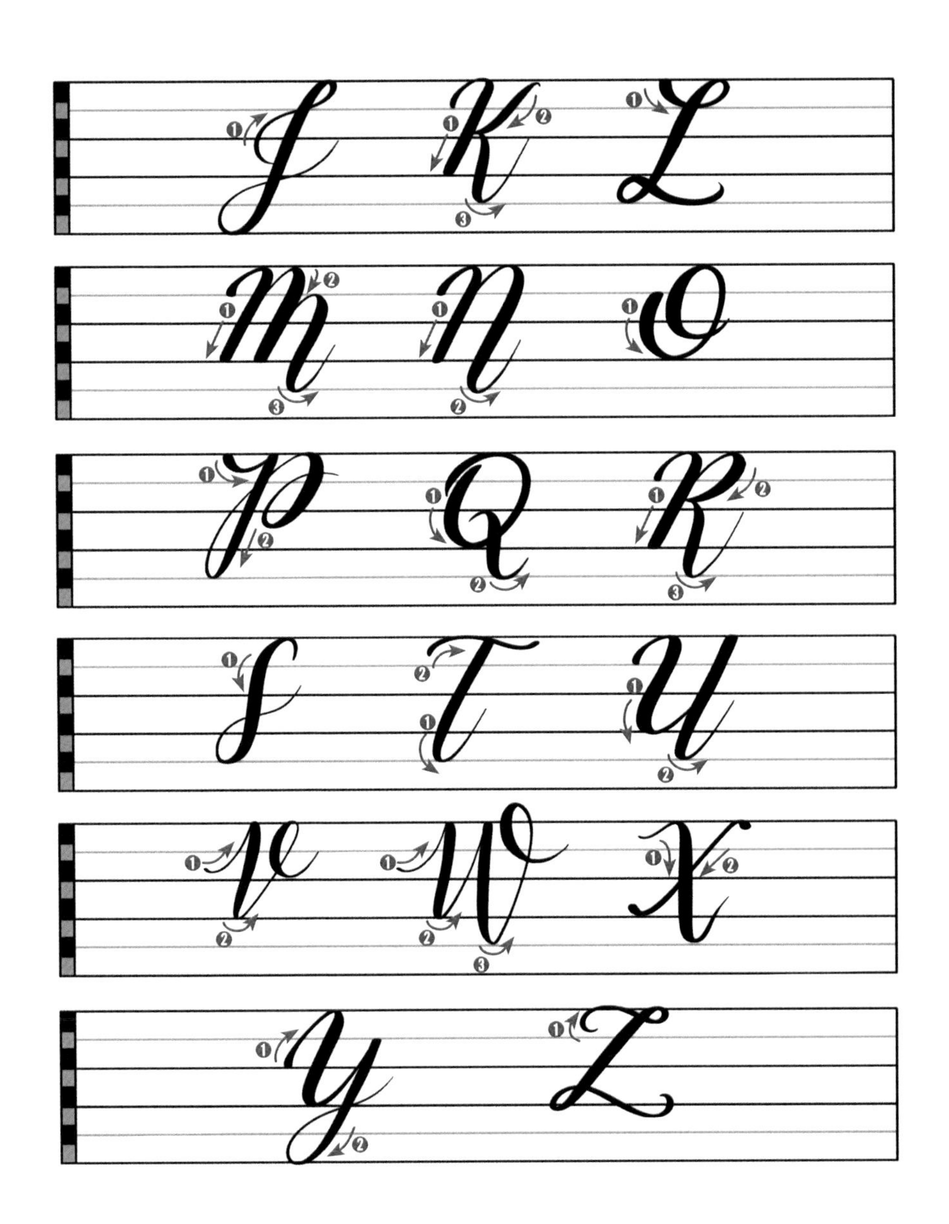

◉ Tip

파도 물결 라인 모양의 바운시 그리드를 열고, 나만의 모던 변형 캘리 서체를 디자인 해 봅시다.

03. 단어 연결 및 문장 쓰기

- 단어 쓰기

행사 일정에 쓰일 만한 단어들을 모던 변형 캘리그라피로 써 봅시다. 변형 서체는 각 종 행사, 광고 인쇄물 등 실생활에 자주 쓰이곤 합니다. 단어의 첫 대문자 부터 기준 선을 살짝 넘게 한 다음, 이어서 나오는 소문자들을 부드럽게 연결하는 연습을 합니다. 물결처럼 춤추듯이, 알파벳을 변형하여 쓰도록 합니다.

▶ 단어 예시: Spring (봄), Summer (여름), Autumn, Fall (가을), Winter (겨울), Cloud (구름), Wishes (소원), Season (계절), Mr (~님, ~씨), Mrs (부인), Vacation (방학), Holiday (휴가)

◉ **모던 변형 캘리 단어 보너스 과제**

여행 관련 단어들을 모던 변형 캘리그라피로 써보기

- 문장 쓰기

사계절 관련 문장들을 모던 변형 캘리체로 적어봅시다. 단어 연습을 할 때와 마찬가지로 대문자와 소문자가 부드럽게 이어지게 하고, 각 단어 사이를 적당한 간격으로 띄어씁니다. 단어 끝 부분의 곡선의 경우, 길게 연장하여 글씨가 움직이는 듯한 효과를 냅니다. 글씨에 리듬감을 주기위해 각 글자 간 내려오는 선의 위치를 조금씩 달리하여 모던 캘리 변형체 만의 멋을 냅니다.

▶ 문장 예시: Let it snow (눈 내려라), Smell the rain (비 냄새를 맡아라), Make it bloom (아름답게 하라), Beach vibes (해변 분위기), Harvest time (수확기), Sweater weather (스웨터를 입을 만한 날씨)

- 팬그램 쓰기

다음의 팬그램을 모던 변형 캘리그라피로 나타 내 봅시다. 언뜻 보기에는 기존 모던 캘리 서체와 다를 바 없어보이나, 글자에 움직임이 더 많이 있는 차이가 있습니다. 기준선 주변 부로 각 알파벳 위치를 조금씩 달리하여, 글자 배열에 있어 통통 튀는 느낌이 나게 합니다. 글자 사이즈, 필압에 변화를 주며 매끄럽게 씁니다.

◉ 모던 변형 캘리 문장 보너스 과제

다음의 팬그램을 바운시 모던 캘리로 써보기: "When zombies arrive, quickly fax judge Pat."

PART 03

영문캘리그라피에 장식 더해보기

앞 챕터에서 배웠던 5가지 영문캘리 기본 서체들을
다양한 플러리싱으로 꾸며보아요.
알파벳을 더 아름답게
장식해 보는 시간이에요.

화려한 스타일, 플러리싱

플러리싱이란 글자에 장식적인 선을 붙여 화려한 글씨체를 만드는 방법을 말합니다. 플러리싱의 형태가 고정되어있지 않아, 나만의 플러리싱으로 글자를 꾸밀 수 있습니다. 캘리그라피 서체별 다양한 플러리싱 기법이 있으며, 꾸준한 연습을 하여 플러리싱 기술을 익힙니다.

01. 플러리싱 기본 형태

플러리싱의 기본 획은 타원형에 기반을 두고 있습니다. 가로, 세로 방향의 타원을 번갈아 가며 펜슬로 그려보세요. 세로 방향의 경우 비스듬한 타원 모양으로 그립니다. 플러리싱에 익숙해지기 위해 플러리싱 기본 획 그리기를 무한 반복합니다.

- 다양한 플러리싱 기본형

플러리싱 기본형에는 타원형 외에도 다양한 모양들이 있습니다. 아래 플러리싱 기본 획들을 프로크리에이트 펜슬로 반복하여 그려 봅니다. 형태가 조금 다르나, 모두 기본 타원형에 기초한 것입니다. 시계, 반시계 방향으로 번갈아 가며 따라 그립니다.

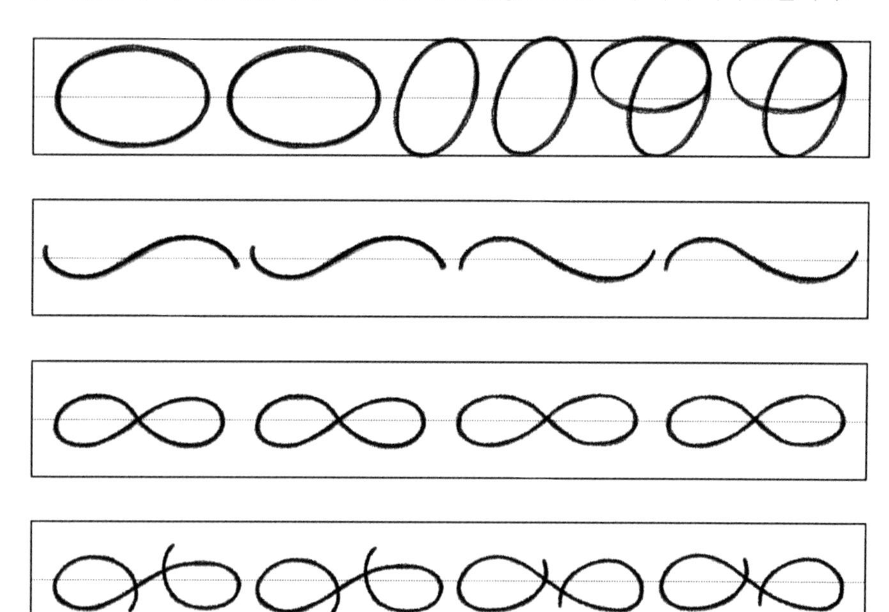

02. 플러리싱 위치

① **어센더 (Ascender)**: 단어 맨 위 어센더 루프가 보이는 부분

② **디센더 (Descender)**: 단어 맨 아래 디센더 루프가 있는 곳

③ **단어 아래**: 단어의 밑 부분

④ **단어 끝**: 단어가 끝나는 마지막 획 부분

⑤ **T를 가로지르는 곳 (T-Crossbar)**: 알파벳 'T'가 어센더 루프를 지닌 알파벳을 만났을 때 T를 가로지르는 선을 사이에 이어 연결

03. 플러리싱 규칙

① 플러리싱 획은 다른 획보다 두께가 얇습니다.

② 플러리싱의 원형은 타원형에 가깝게 그립니다.

③ 두꺼운 플러리싱 획끼리 만나서는 안됩니다.

④ 90도의 각 도로 두 플러리싱 획이 교차하게 합니다.

04. 플러리싱 심화

- 같은 글자가 겹치는 경우

같은 문자가 연이어 나올 때, 각 글자의 플러리싱의 방향을 서로 다르게 하여 중복을 피합니다. 알파벳 t가 서로 겹치는 경우에는 가로지르는 곡선 1개가 두 문자 사이를 관통하게 합니다.

> **◉ 플러리싱 연습 방법**
> 캘리그라피로 쓴 단어 안 비어있는 공간들을, 플러리싱을 그려 채워 넣습니다.

모노라인 플러리싱

모노라인 플러리싱은 모노라인 캘리그라피 서체에 더하는 장식입니다. 자유로운 손글씨 스타일의 모노라인 알파벳에 길이가 있는 곡선형의 플러리싱들을 붙여 꾸밉니다. 귀엽고 깔끔한 모노라인 서체에 플러리싱을 더함으로써, 글씨가 더 아름다워 보일 수 있게 합니다.

01. 장식 선 훈련

일정한 두께의 모노라인 브러시로 플러리싱 기본 획들을 써봅니다. 2:2:2 비율의 가이드 라인 위에 각 플러리싱 획들을 따라 그립니다. 아래와 같은 플러리싱 선들을 기존 글자에 붙임으로써, 단조로워 보이는 모노라인 서체에 생동감을 주게 됩니다. 모노라인 플러리싱 선들이 처음에는 다소 복잡하게 보일 수도 있습니다. 그렇지만 반복해서 연습하다 보면 선에 익숙 해 질 것입니다.

- 플러리싱 연습

모노라인 브러시 크기를 14%로 설정하여 플러리싱 연습을 합니다. S라인의 선부터 리본, 스프링, 소용돌이, 꽈배기 등 다양한 모양의 플러리싱 선들을 따라 씁니다. 기준선을 중심으로 천천히 하나씩 그립니다.

02. 소문자, 대문자 연습

- 소문자

프로크리에이트용 '영문캘리 플러리싱 연습' 파일을 내려받아, 플러리싱이 붙어있는 모노라인 소문자 알파벳들을 써봅니다. 어센더와 디센더라인, 글자 아래 쪽에 위치하는 플러리싱의 모양에 유의하여 연습하도록 합니다. 글자 끝에서 시작하는 플러리싱의 경우, 장식선이 기준선보다 약간 아래로 떨어짐에 유의합니다.

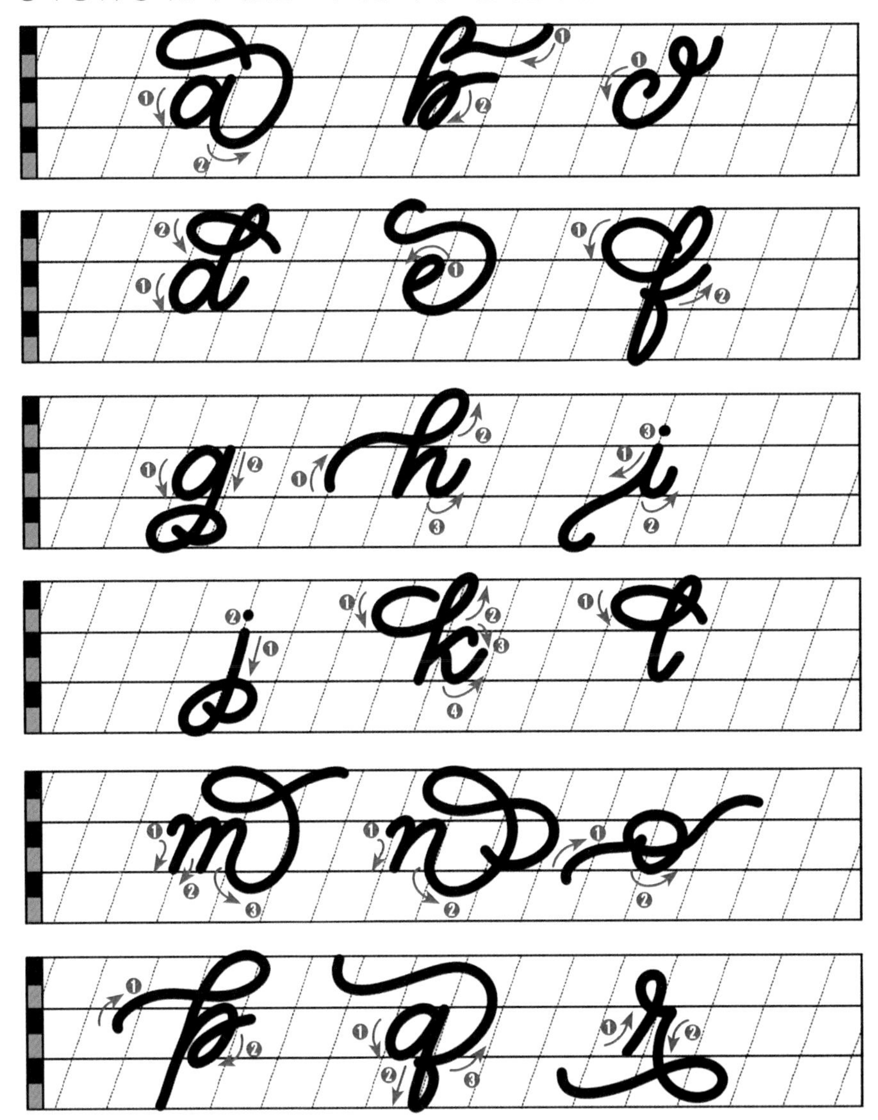

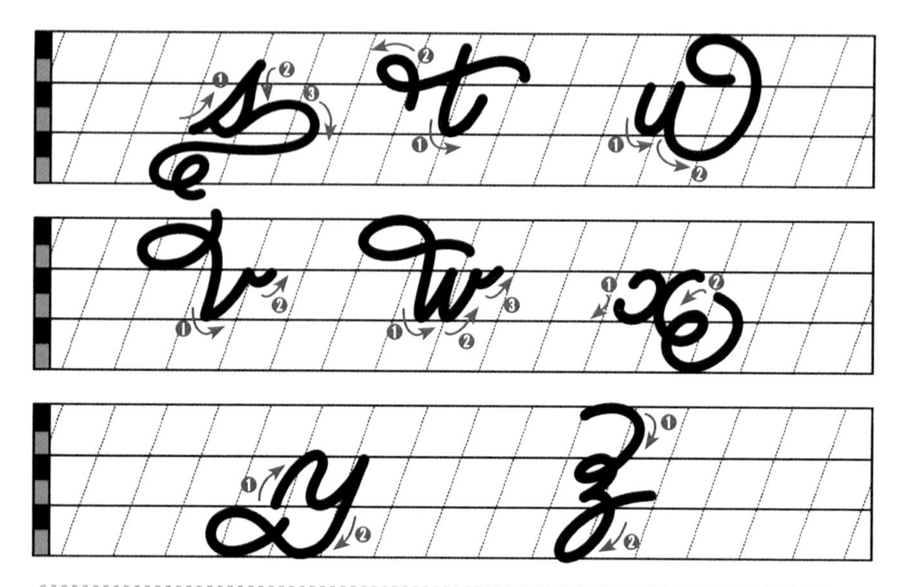

◉ Tip

모노라인 플러리싱의 선은 적당한 곡선으로 하되, 원형은 타원 모양에 가깝게 그리도록 합니다

- 대문자

기본 모노라인 대문자 알파벳에 선을 늘인 플러리싱을 붙입니다. 대문자의 처음과 끝 부분에 타원형의 곡선을 붙이거나, 글자 가운데를 관통하는 플러리싱을 추가 해 봅니다. 기준선, 어센더라인에 맞추어 적당한 속도로 따라 씁니다.

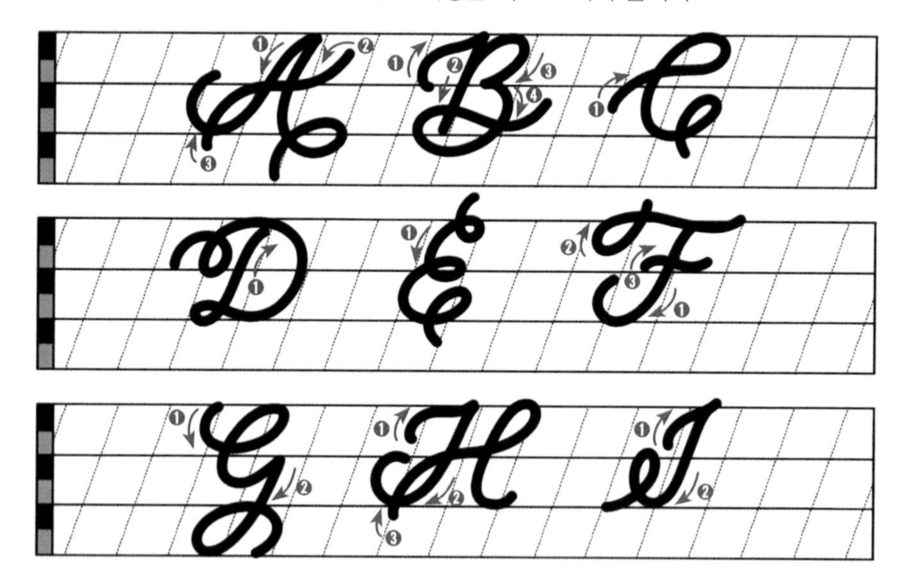

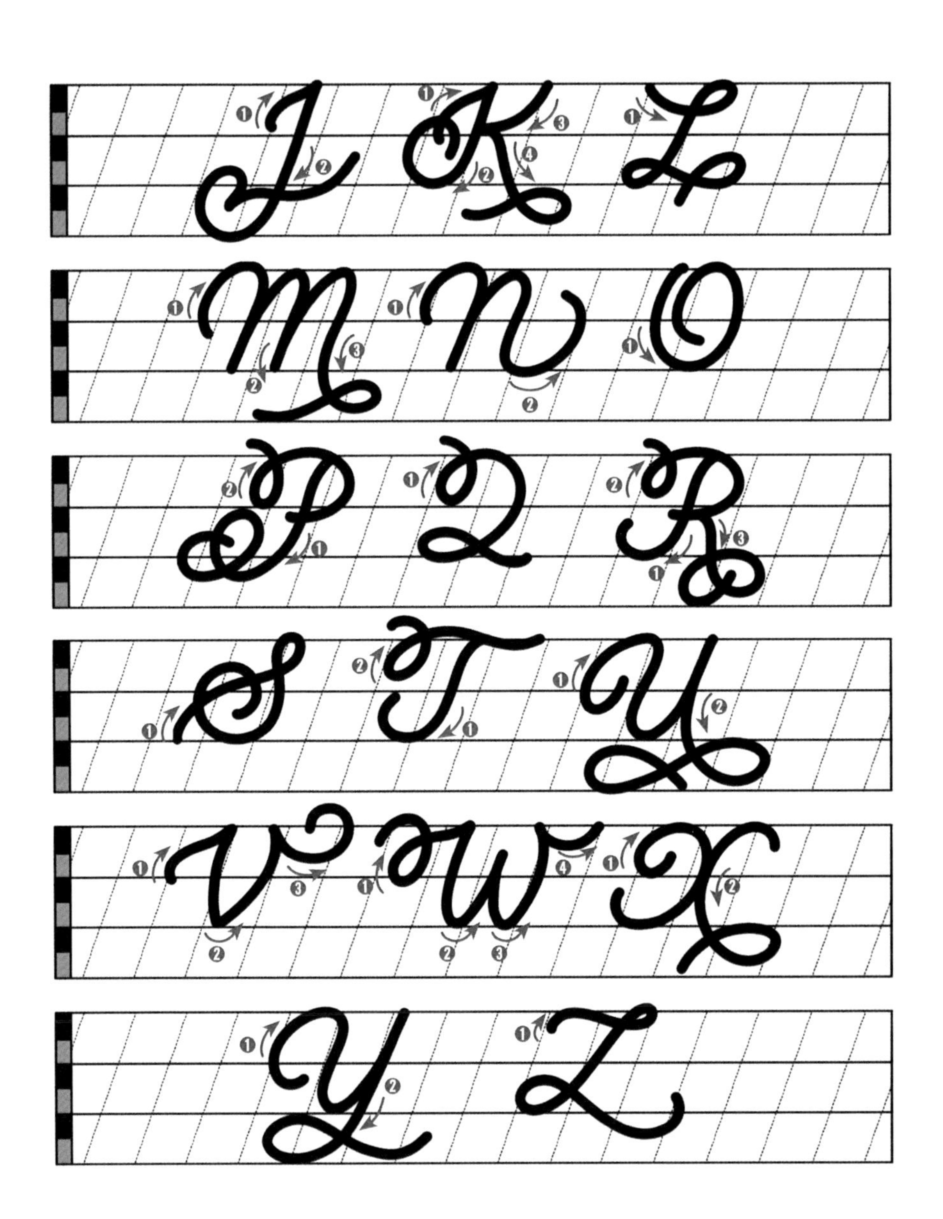

◉ 모노라인 플러리싱 보너스 과제

다른 방법으로 모노라인 대, 소문자 알파벳에 플러리싱을 붙여 봅시다.

03. 단어 연결 및 문장 쓰기

- 단어 쓰기

일상 관련 단어들을 모노라인 플러리싱 캘리그라피 스타일로 적어봅시다.

▶ 단어 예시: Diary (메모장), Hello (안녕), Tomorrow (내일), Goodbye (안녕히 가세요), Yesterday (어제), Schedule (일정)

- 문장 쓰기

짧은 글귀들을 모노라인 플러리싱 캘리그라피로 표현 해 봅시다. 플러리싱이 붙는 위치를 기억하며 한 자씩 써 내려 갑니다.

▶ 글귀 예시: Keep calm (진정해), Go travel (여행 가다), Love to dance (춤추기 좋아하다), Best day (최고의 날), Work hard (열심히 일하다), Every moment (매 순간)

고딕 캘리 플러리싱

고딕 캘리 플러리싱은 영문 고딕 캘리 서체에 붙는 장식입니다. 기존 고딕 캘리 서체는 기울기가 없고 두께감이 있어 다소 딱딱하게 보일 수가 있는데, 플러리싱이 이러한 점들을 보완 해줍니다. 얇은 곡선의 플러리싱을 알파벳에 하나씩 붙여, 글자에 세련미를 더해봅니다.

01. 장식 선 훈련

고딕전용 브러시로 고딕캘리 플러리싱 기본 획들을 씁니다 2:4:2 비율의 가이드라인에 플러리싱 획 쓰기 연습을 합니다. 펜의 각도에 따라 달라지는 브러시의 굵기에 유의하며, 다양한 곡선 라인들을 그려봅니다. 기울기가 없는 고딕 캘리 서체에 플러리싱을 붙여, 묵직하면서도 고급스러운 느낌의 고딕캘리체를 연출 할 수 있습니다. 고딕 플러리싱 선에 숙달되도록 반복 연습하도록 합니다.

- 플러리싱 연습

고딕 브러시 크기를 26%로 설정하여 기본 플러리싱 획을 따라 그립니다. 플러리싱의 굵기는 펜의 각도를 조절하여 달리합니다. 얇은 플러리싱 획을 그릴 때에는, 브러시 크기를 5%로 설정하여 획 연습을 합니다.

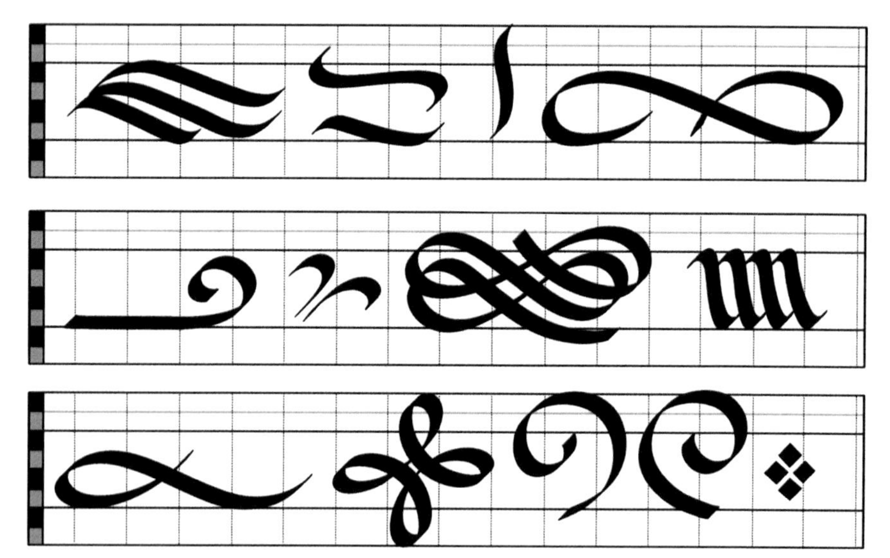

02. 소문자, 대문자 연습

- 소문자

기본 고딕 소문자 알파벳에 앞서 연습했던 플러리싱 획들을 붙입니다. 브러시를 기울여, 장식 선 끝부분이 날렵한 모양이 되게 합니다. 어센더, 디센더라인, 글자 중간, 글자 끝부분에 나타나는 플러리싱에 초점을 맞추어 따라 씁니다. 기존 고딕 알파벳 글자의 끝에 붙는 세리프는 유지한 채 플러리싱을 덧붙이도록 합니다.

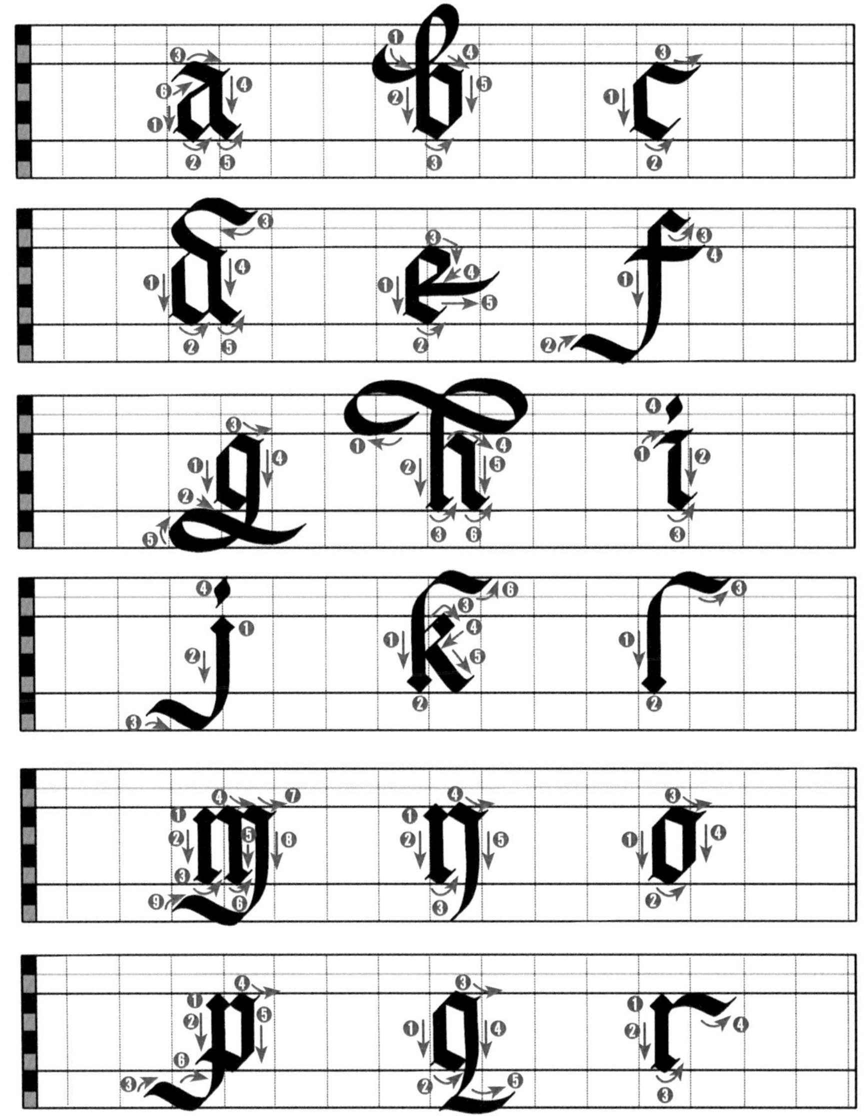

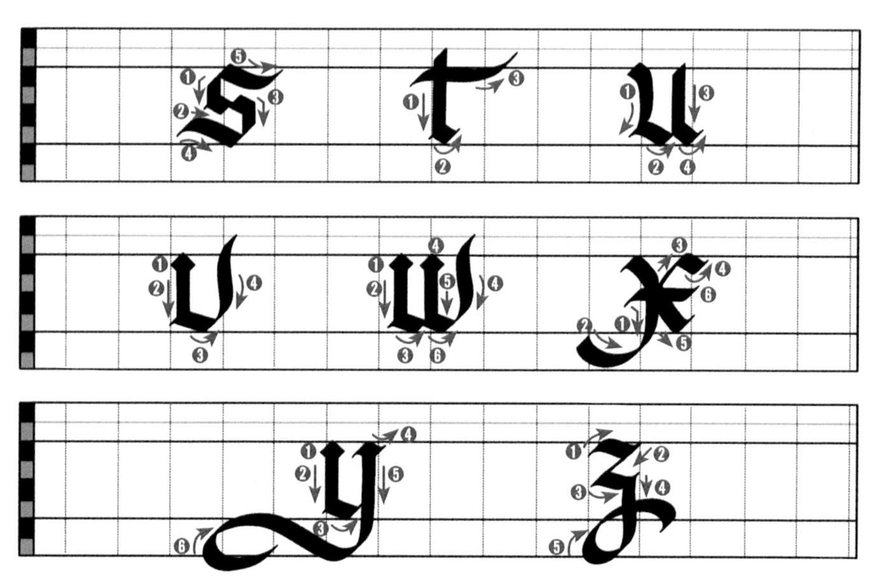

◉ Tip

고딕캘리 플러리싱의 선은 브러시 각도를 조절하여 획의 끝 모양에 변화를 줄 수 있습니다.

- 대문자

고딕 대문자에 얇은 플러리싱 선을 추가하여 글자를 아름답게 만듭니다. 플러리싱 대문자 쓰는 방법은 52 페이지 알파벳 순서를 참고하여 플러리싱을 추가합니다. 아래 획에 곡선을 추가하거나, 글자의 빈 공간에 세로선과 가로선을 더하여 꾸밉니다.

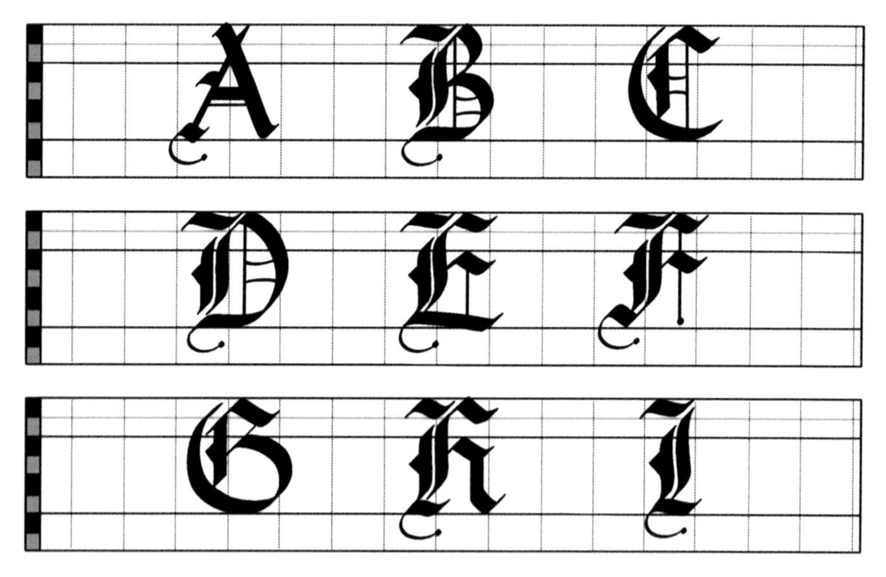

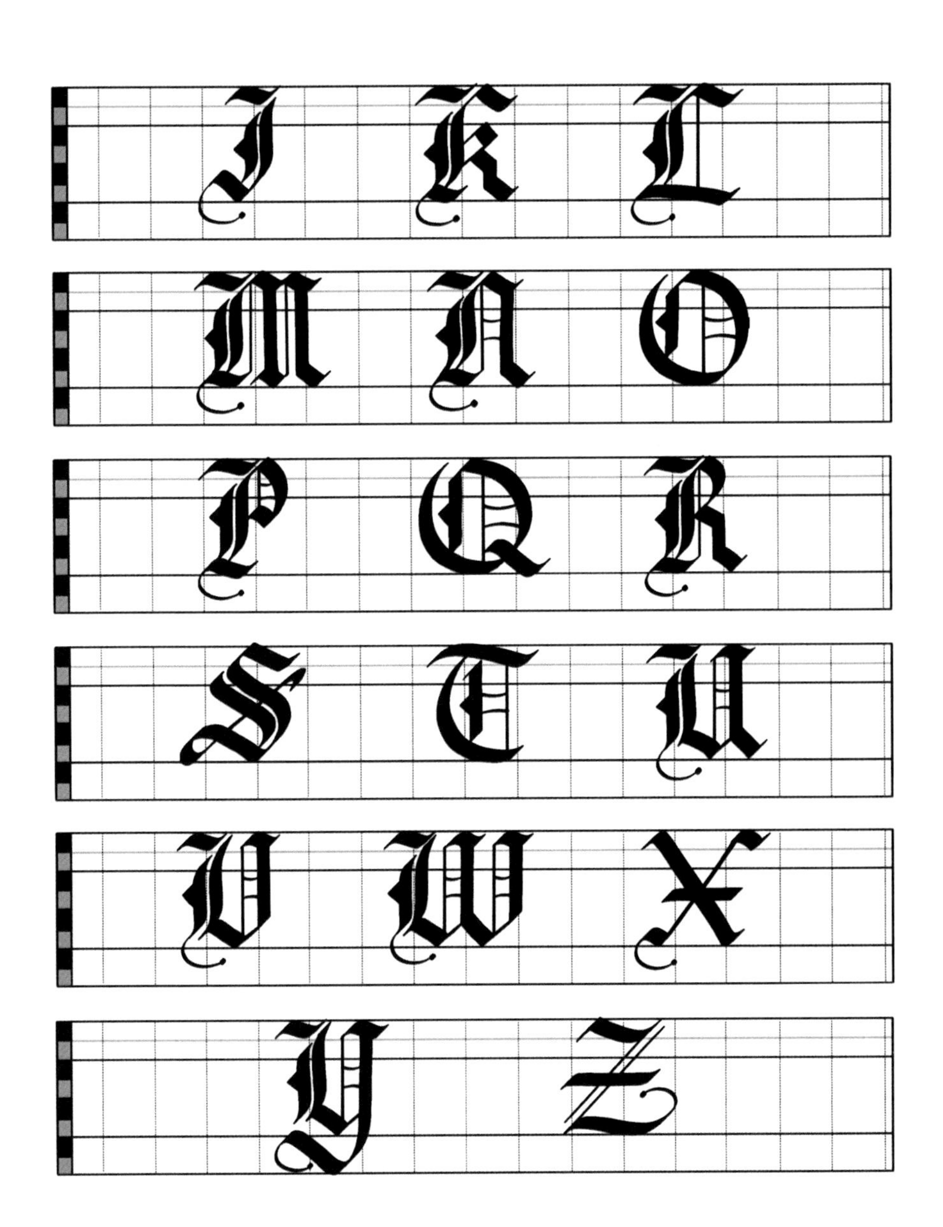

◉ **고딕 캘리 플러리싱 보너스 과제**

얇은 선과 기본 곡선을 활용하여 다른 방법으로 글자에 플러리싱을 붙여 봅시다.

03. 단어 연결 및 문장 쓰기

- 단어 쓰기

자연물 단어들을 고딕 플러리싱 캘리그라피 스타일로 적어봅시다.

▶ 단어 예시: Venus (금성), Glacier (빙하), Mountain (산), Atlantis (아틀란티스 섬), Island (섬), Adventure (모험)

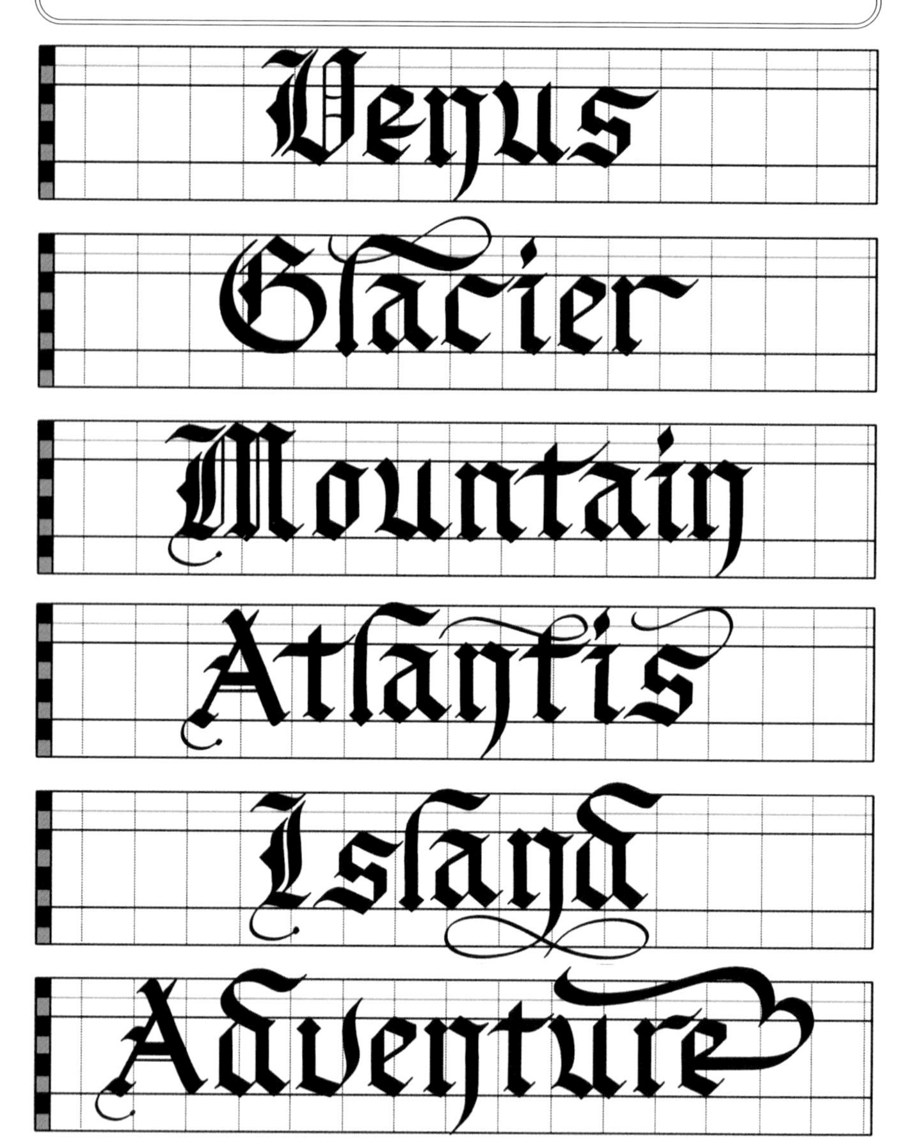

- 문장 쓰기

짧은 글귀들을 고딕 플러리싱 캘리그라피로 표현 해 봅시다. 플러리싱이 붙는 위치를 기억하며 한 자씩 써 내려 갑니다.

▶ 글귀 예시: Full moon (보름달), Salt lake (염호), Zero waste (제로 웨이스트), Wild life (야생 동물), North pole (북극), Happy camper (기분이 좋은 사람)

이탤릭 플러리싱

이탤릭 플러리싱은 이탤릭 캘리그라피 서체를 꾸며주는 장식입니다. 기본 이탤릭 서체에 플러리싱을 추가하여, 더욱 고급스러운 느낌의 글씨체를 만들 수 있습니다. 곡선형 플러리싱 선을 여러 곳에 길게 늘어뜨려, 다양한 형태의 이탤릭 플러리싱 캘리그라피를 하게 됩니다.

01. 장식 선 훈련

고딕 브러시 크기를 줄여 이탤릭 플러리싱 기본 획들을 씁니다 4:5:4 비율의 가이드라인에 플러리싱 획 연습을 합니다. 이탤릭 플러리싱 선들은 끝이 네모난 납작 브러시로 그려지므로 고딕 플러리싱 선들과 많이 닮아보입니다. 하지만 작은 닙으로 획을 그리기에, 플러리싱 선 끝 부분이 뾰족하며 휘어져 보이는 경향이 있습니다. 타원 모양의 곡선형에 유의하며 선 연습을 합니다.

- 플러리싱 연습

이탤릭 브러시를 20%로 설정하여 플러리싱 획들을 그립니다. 펜 끝을 굴리며 부드러운 느낌의 곡선이 나오게 합니다. 이외에도 리본, 소용돌이, 꽈배기, 토네이도 모양의 선들을 하나씩 따라 그려 봅니다.

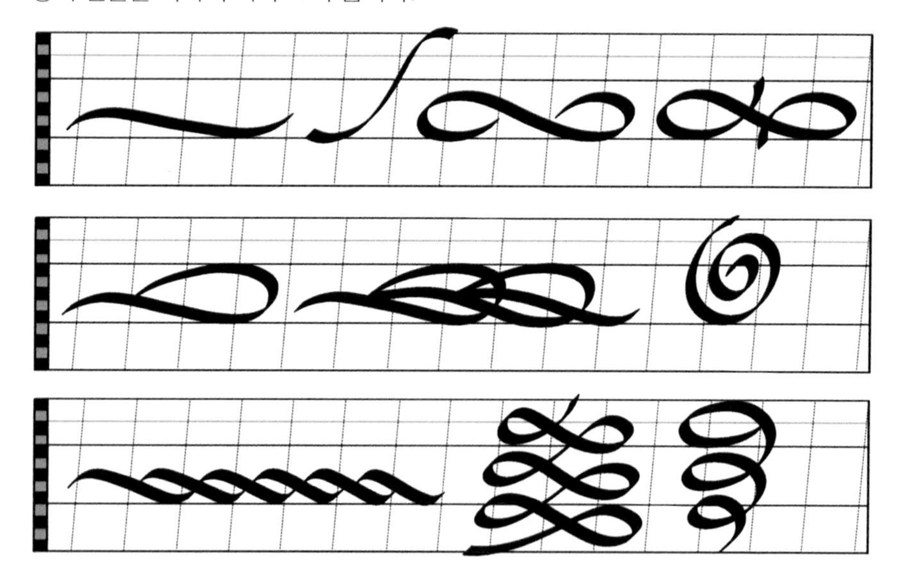

02. 소문자, 대문자 연습

- 소문자

비스듬히 기울여 쓴 이탤릭 알파벳 서체에 플러리싱을 붙입니다. 장식선은 너무 휘어 있지 않고 적당한 곡선형으로 되어 있습니다. 어센더, 디센더라인, 글자의 처음과 끝 부분에 위치하는 플러리싱 모양에 유의하여 따라 씁니다. 간혹 아래의 소문자 'e'와 같이, 글자의 중간에 긴 장식선을 추가하기도 합니다.

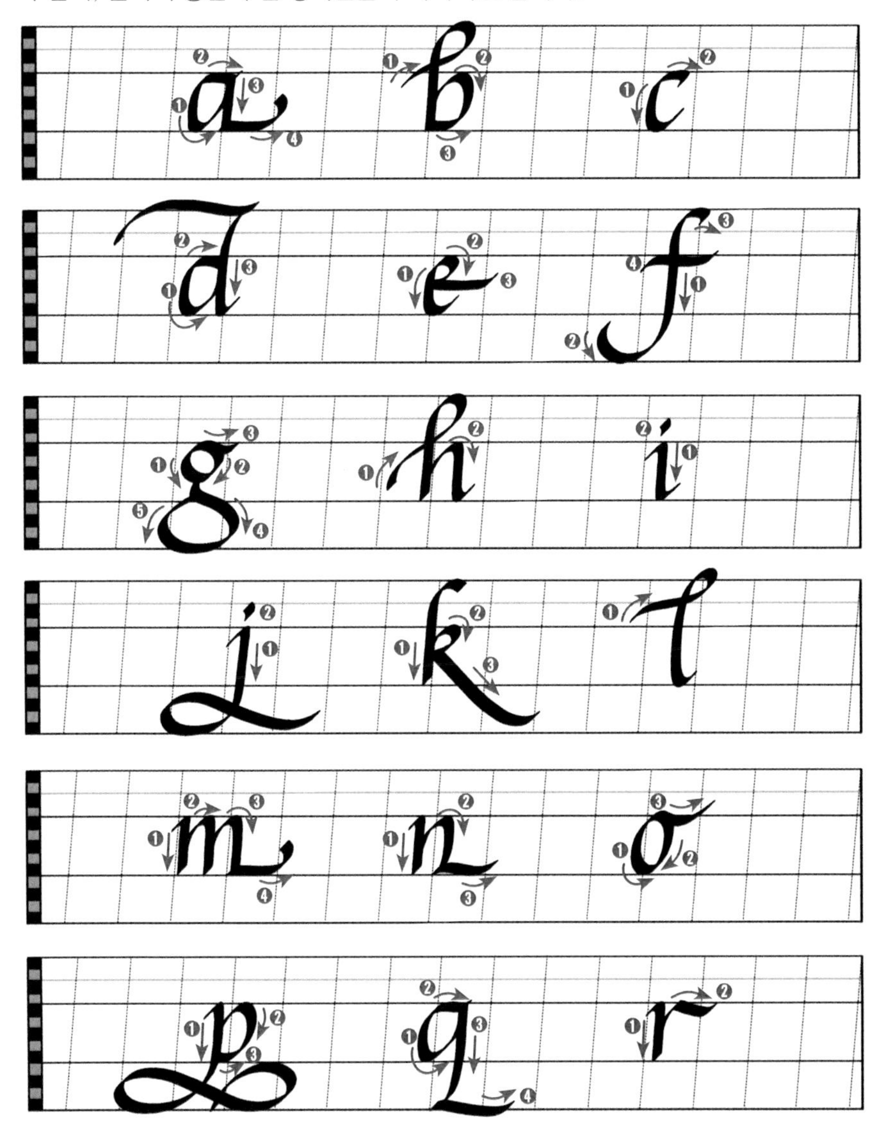

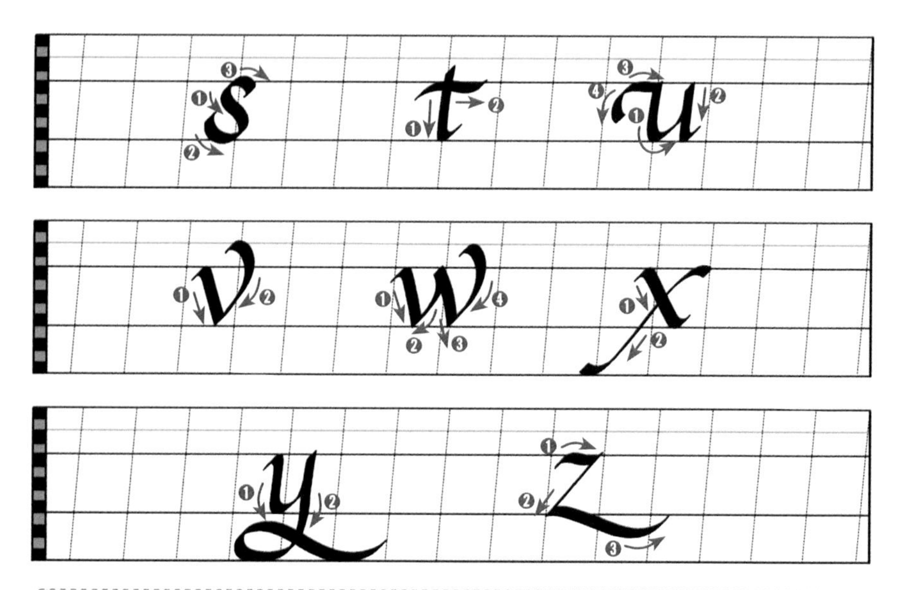

◉ Tip

이탤릭 플러리싱의 선은 길게 연장하여 알파벳에 붙여 꾸미도록 합니다.

- 대문자

스와시를 붙인 이탤릭 대문자에 장식 선을 덧붙여 꾸밉니다. 쭉 뻗은 긴 플러리싱은 이탤릭 체의 우아함을 더욱 돋보이게 합니다. 대문자 라인에 맞추어 알파벳을 쓰되, 플러리싱 선은 경계를 넘어 그려도 무방합니다.

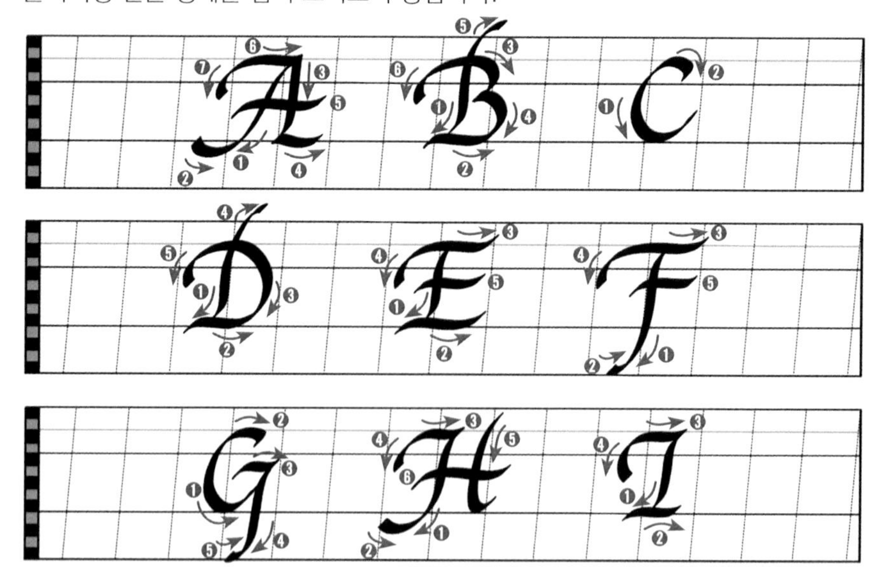

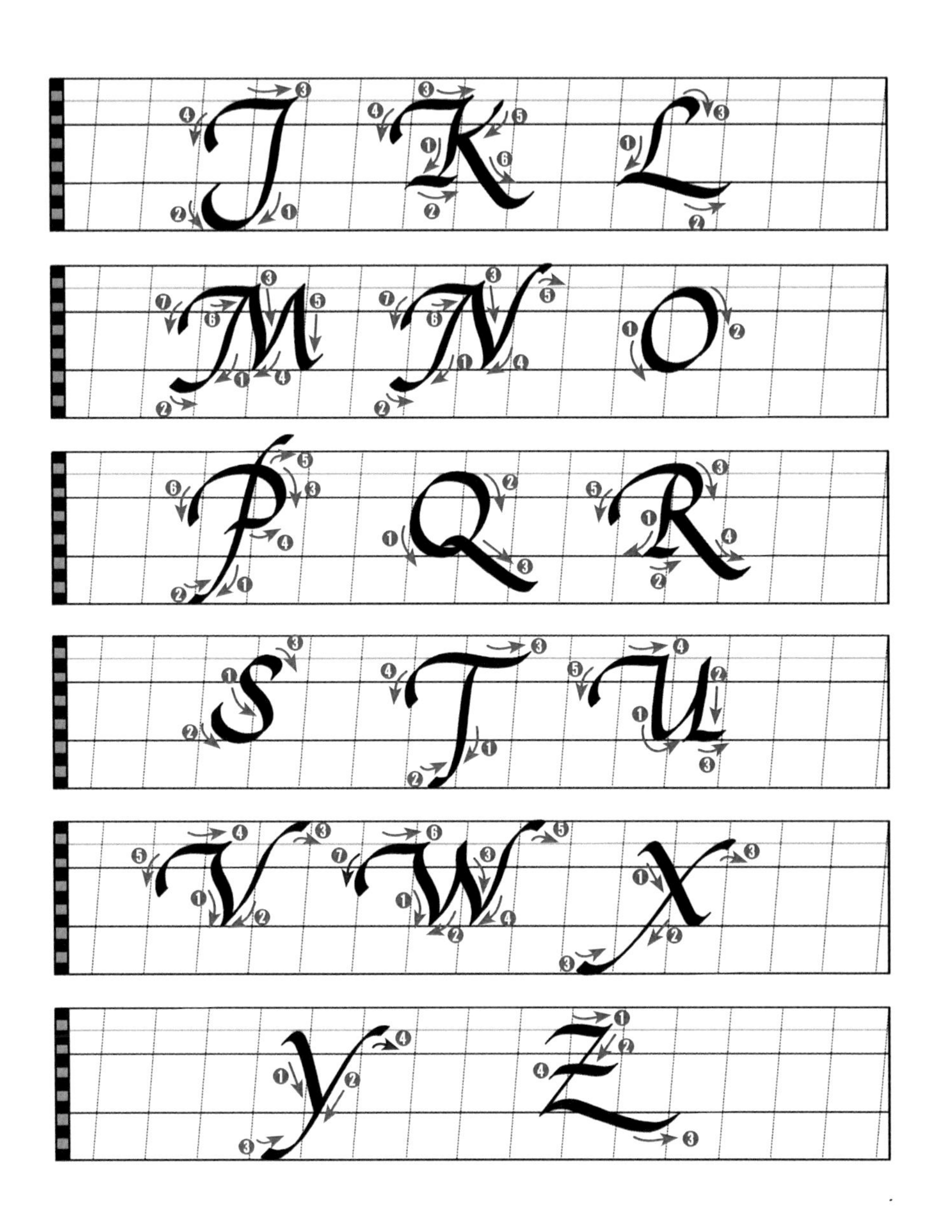

◉ **이탤릭 플러리싱 보너스 과제**

스와시와 다른 장식선들을 활용하여 나만의 이탤릭 캘리 서체를 만들어 봅시다.

03. 단어 연결 및 문장 쓰기

- 단어 쓰기

생필품 관련 단어들을 이탤릭 플러리싱 캘리그라피 스타일로 적어봅시다.

▶ 단어 예시: Gift (선물), Beer (맥주), Whisky (위스키), Perfume (향수), Skate (스케이트), Cosmetics (화장품)

Gift

Beer

Whisky

Perfume

Skate

Cosmetics

- 문장 쓰기

짧은 글귀들을 이탤릭 플러리싱 캘리그라피로 표현 해 봅시다. 같은 글자가 겹칠 때에는, 형태를 다르게 하여 적도록 합니다.

▶ 글귀 예시: Big sale (대량 판매), With love (사랑을 담아), Give thanks (감사를 표하다), Magic time (마법의 시간), Just for you (너만을 위해), Holly jolly (행복한)

카퍼플레이트 플러리싱

카퍼플레이트 플러리싱은 카퍼플레이트 캘리 서체를 아름답게 하는 장식입니다. 물결이 흐르는 듯한 카퍼플레이트 캘리 서체에 플러리싱을 붙여, 부드러움이 배가 되게 합니다. 글자 주변 공간을 채운다는 느낌으로 기존 카퍼플레이트 서체에 플러리싱을 풍성하게 더합니다.

01. 장식 선 훈련

카퍼플레이트 전용 브러시로 플러리싱 기본 획들을 그립니다. 3:2:3 비율의 가이드라인 위에 각 플러리싱 획들을 따라 그립니다, 필압에 변화를 주어 장식 선이 물결이 흐르는 것처럼 보이게 합니다. 플러리싱이 풍성한 느낌이 들도록, 타원형의 기본 획들을 가로방향 또는 세로방향으로 반복하여 그려 봅니다. 적당히 빠른 속도로 단순한 획부터 복잡한 플러리싱까지 차근차근 연습합니다.

- 플러리싱 연습

카퍼플레이트 브러시 크기를 12%로 설정하여 플러리싱 연습을 합니다. 타원형을 기반으로 한 다양한 모양의 플러리싱 선들을 따라 그립니다. 같은 모양의 장식 선을 서로 반대되는 방향으로 그리는 연습을 하여 플러리싱에 숙달되게 합니다.

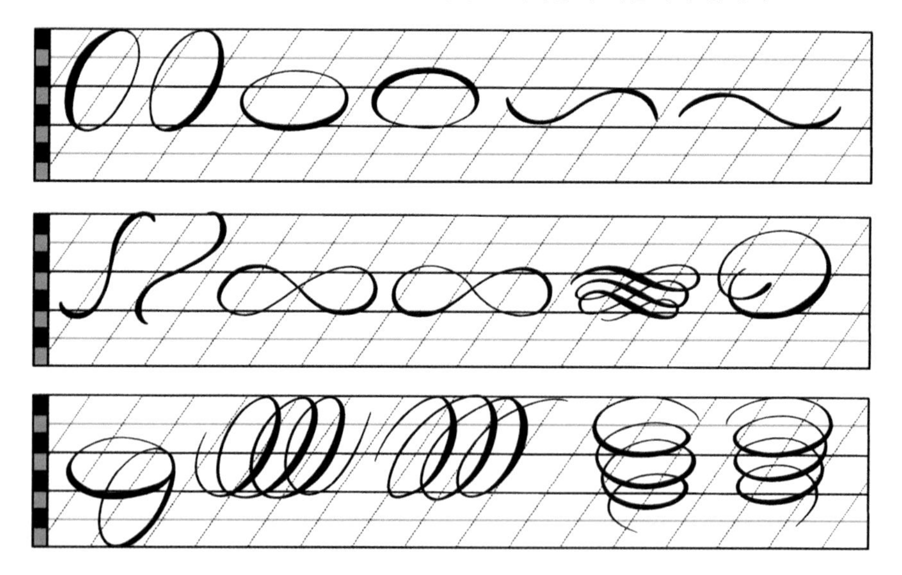

02. 소문자, 대문자 연습

- 소문자

카파플레이트 기본 서체에 플러리싱 선을 붙여 꾸밉니다. 장식선을 안쪽으로 둥글게 그려 곡선의 느낌이 강하게 합니다. 알파벳 주변을 감싸 안은 듯 플러리싱이 풍성하게 보이게 그립니다. 어센더, 디센더, 가이드라인의 기울기에 유의하며, 화려한 느낌의 카파플레이트 소문자 플러리싱을 완성 합니다.

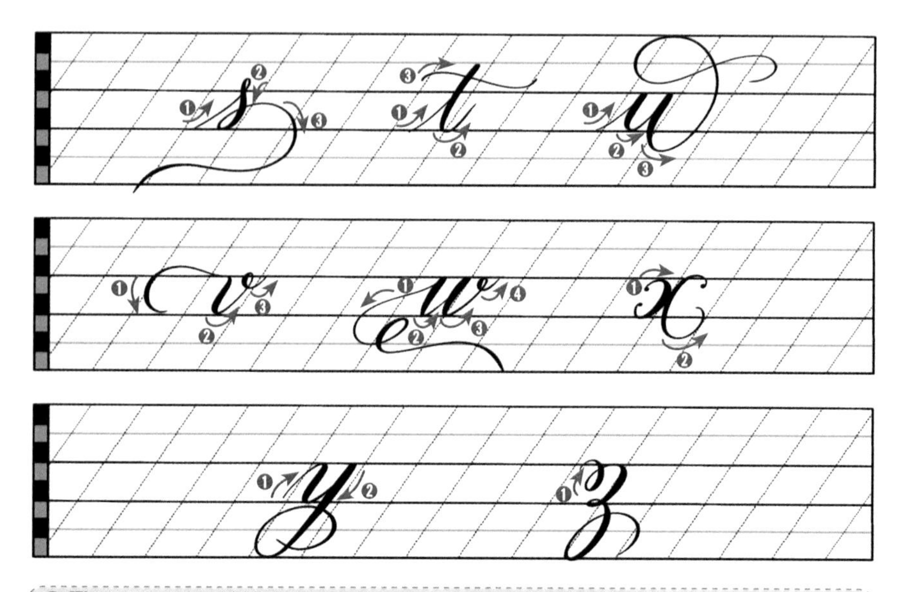

> ◉ Tip
>
> 카퍼플레이트 플러리싱 선들이 서로 겹칠 때 두꺼운 선끼리 교차 할 수 없음을 기억합니다.

- 대문자

카퍼플레이트 대문자 알파벳에 플러리싱을 붙여 변화를 줍니다. 글자의 시작점과 끝부분을 타원형 곡선으로 감싸주어 아름답게 합니다. 가이드라인의 기준선, 어센더, 디센더라인에 유의하며 플러리싱 대문자를 따라 씁니다.

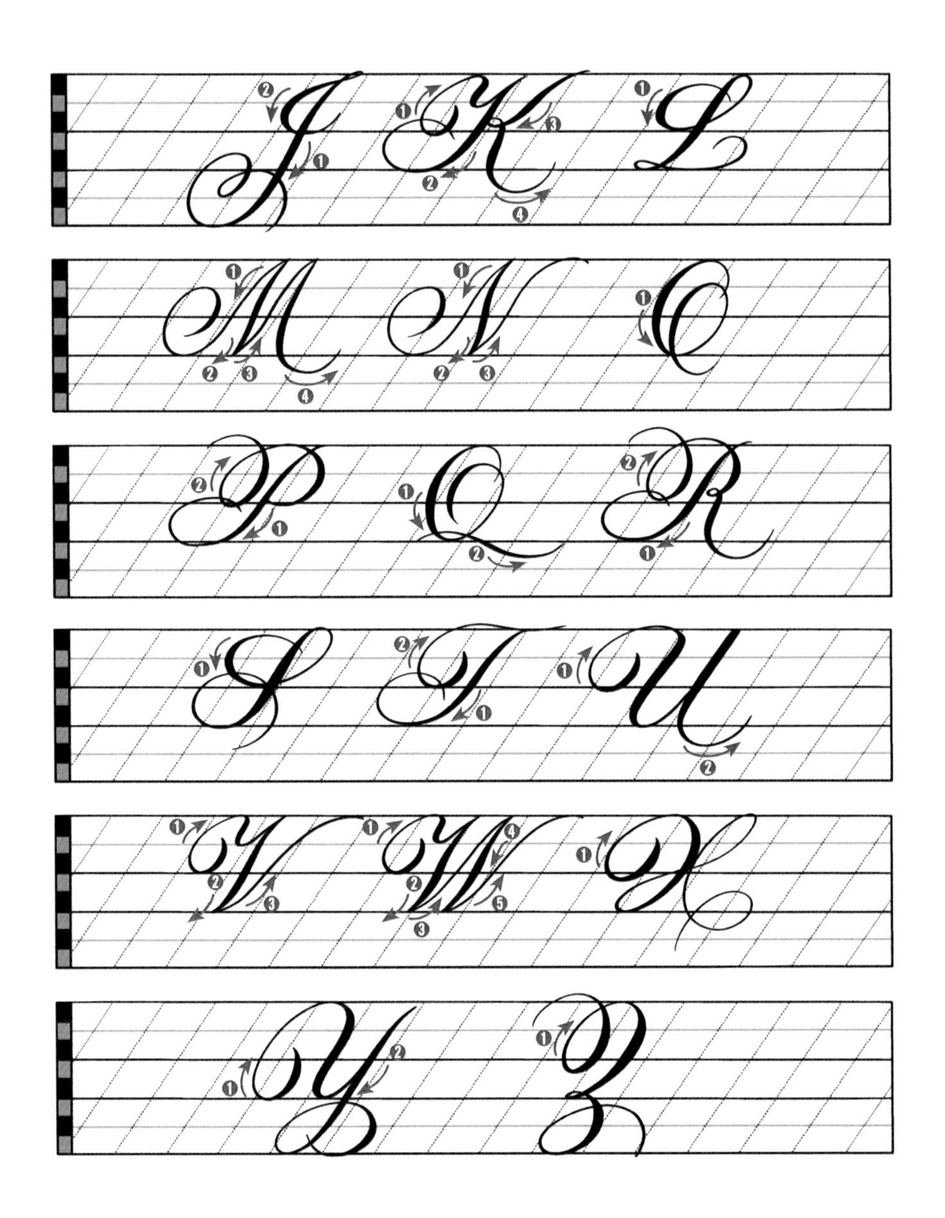

◉ **카퍼플레이트 플러리싱 보너스 과제**

다른 플러리싱 선을 이용하여 카퍼플레이트 대, 소문자를 완성 해 봅시다.

03. 단어 연결 및 문장 쓰기

- 단어 쓰기

꽃 이름을 카퍼플레이트 플러리싱 캘리그라피 스타일로 적어봅시다.

▶ 단어 예시: Daisy (데이지), Jasmine (재스민), Carnation (카네이션), Anemone (아네모네), Marigold (매리골드), Hyacinth (히아신스)

Daisy

Jasmine

Carnation

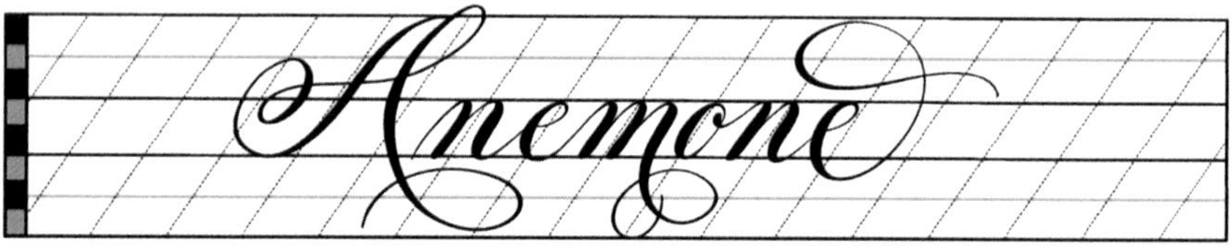

Anemone

Marigold

Hyacinth

- 문장 쓰기

짧은 글귀들을 카퍼플레이트 플러리싱 캘리그라피로 표현 해 봅시다. 플러리싱이 붙는 위치를 기억하며 한 자씩 써 내려 갑니다.

▶ 글귀 예시: Be kind (친절해), True friend (진정한 친구), Amor Fati (운명애), New beginning (새로운 시작), Dream big (크게 꿈꿔), Always cheerful (늘 활기찬)

모던 캘리 플러리싱

모던캘리 플러리싱은 모던 캘리그라피 서체에 추가하는 장식입니다. 카퍼플레이트 플러리싱보다 장식선이 더 휘어지고 자유로워, 꾸밈성이 더 강해보이는 특징이 있습니다. 나만의 개성을 담아 모던 캘리그라피 서체를 플러리싱으로 독특하면서도 예쁘게 장식 해 봅니다.

01. 장식 선 훈련

필압이 있는 모던캘리 브러시로 플러리싱 기본 획들을 써봅니다. 3:2:3 비율의 가이드 라인에 모던 플러리싱 획 연습을 합니다. 65° 기울기의 가이드라인에 여러 형태의 곡선들을 따라 그립니다. 얇은 선과 굵은 곡선을 서로 겹쳐보기도 하고 선을 휘감으며, 모던 플러리싱에 생동감이 나타나게 합니다. 형태가 정형화 되어 있지 않으므로, 장식선의 끝을 가볍게 하여 자유로운 느낌의 선을 연출합니다.

- 플러리싱 연습

모던캘리 브러시 크기를 14%로 설정하여 플러리싱 연습을 합니다. 타원형 모양을 기본으로 한 선에 곡선을 더해, 다양한 종류의 장식 선을 만듭니다. 리본, 프레첼, 하트 모양 등, 아래의 플러리싱을 필압에 변화를 주며 그리는 연습을 합니다.

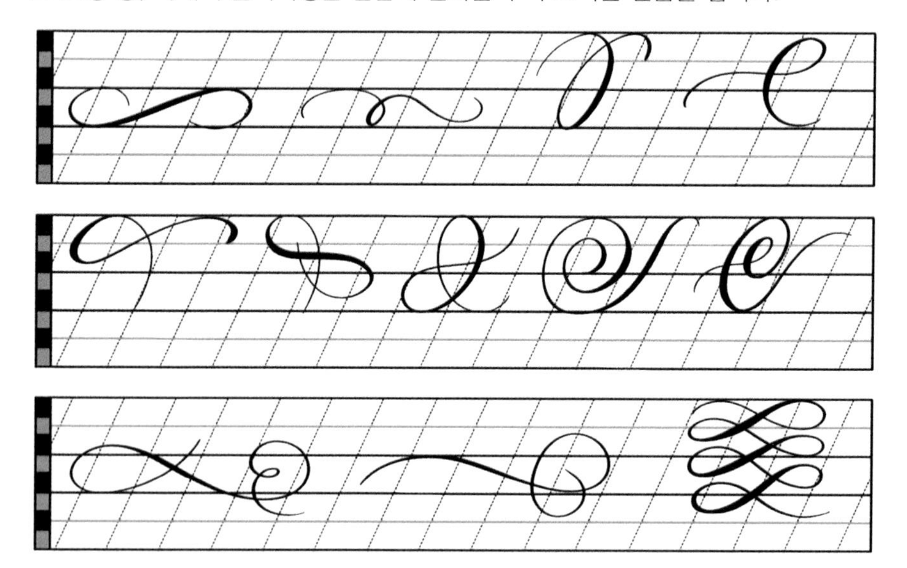

02. 소문자, 대문자 연습

- 소문자

모던캘리 기본 소문자 알파벳에 플러리싱을 추가합니다. 카퍼플레이트에 붙는 타원형 기반 플러리싱 보다는 형태를 보다 자유롭게 하여 플러리싱을 붙인 모던체를 만듭니다. 가이드라인의 기준선과 허리선을 중심으로 하여 하나씩 써 봅니다. 적당히 글자를 기울여 쓰되, 매듭을 짓는 것처럼 선을 휘감아 플러리싱을 붙입니다.

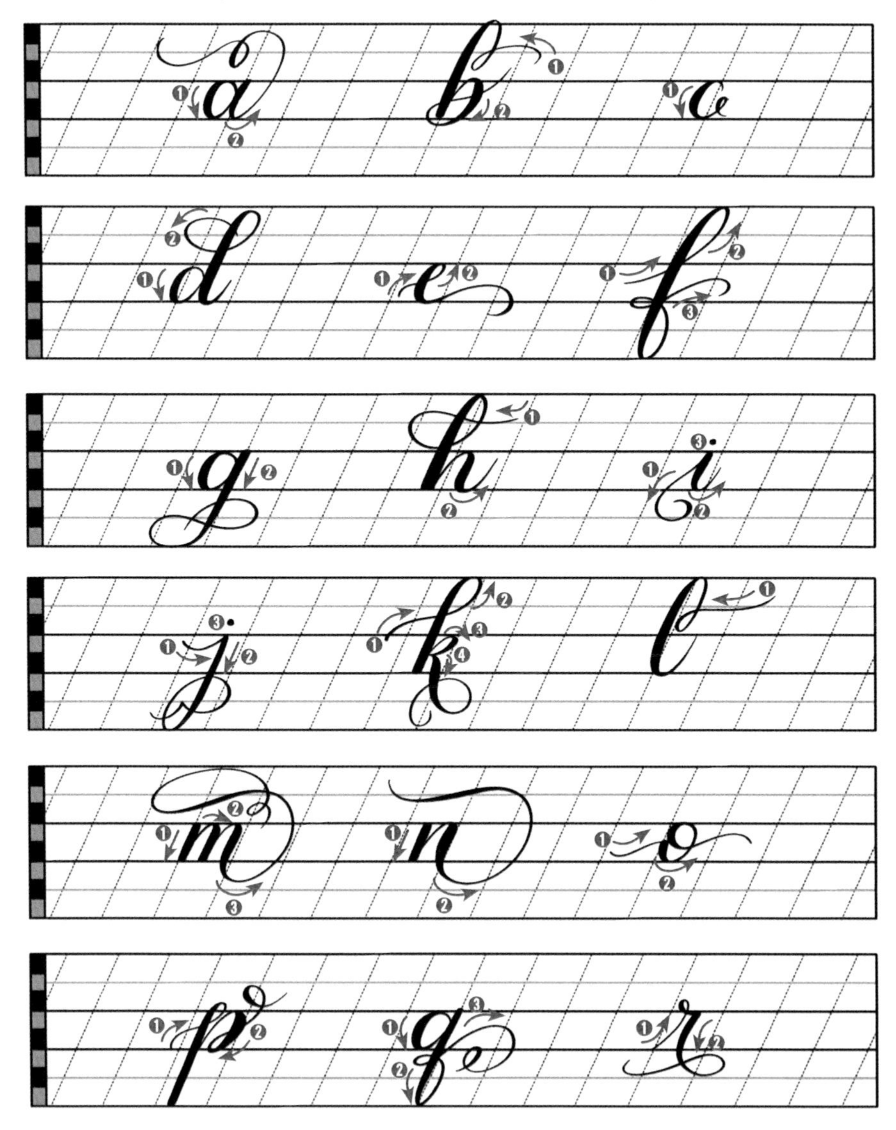

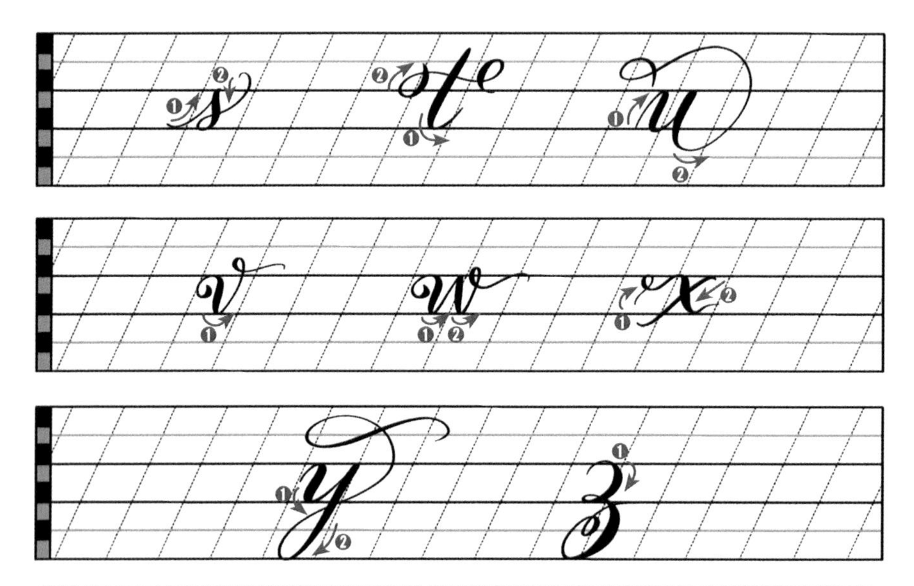

> ◉ Tip
>
> 모던캘리 플러리싱 선은 돼지 꼬리 모양과 같이, 안쪽으로 더 감은 듯 부드러운 곡선형입니다.

- 대문자

모던캘리 대문자 알파벳에 플러리싱을 붙어 형태에 변화를 줍니다. 글자의 첫부분 또는 끝부분에 작은 타원 모양으로 교차된 장식 선을 붙여 꾸밉니다. 이에 더해, 글자 끝 선을 곡선으로 길게 늘려 부드러운 느낌이 나게 합니다.

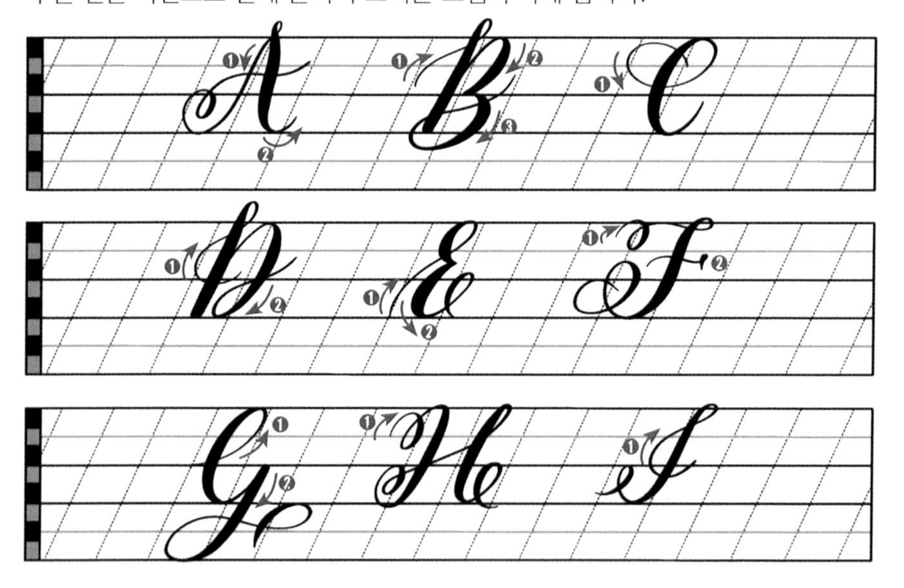

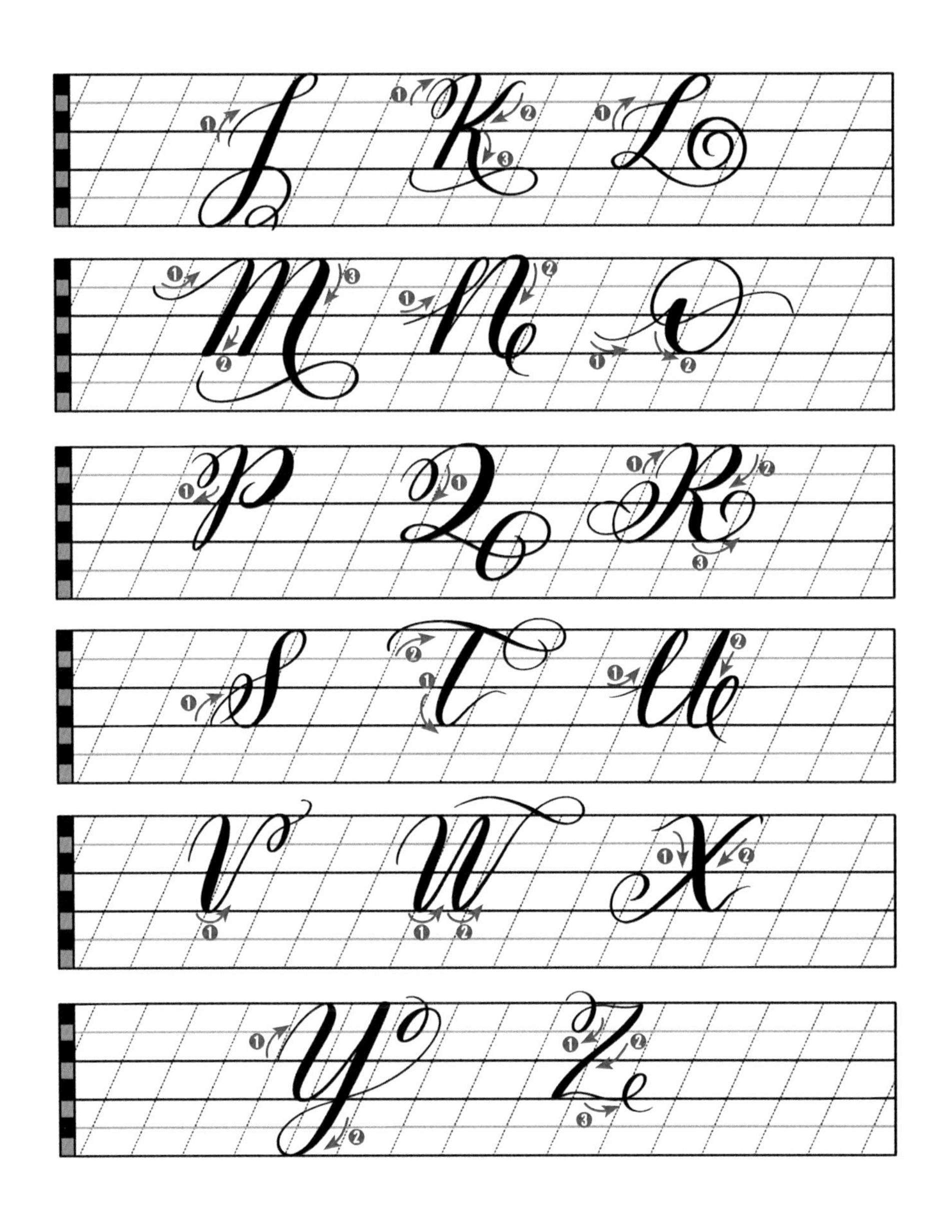

◉ 모던 캘리 플러리싱 보너스 과제

다양한 장식선을 이용하여 나만의 모던캘리 서체를 만들어 봅시다.

03. 단어 연결 및 문장 쓰기

- 단어 쓰기

베이커리 관련 단어들을 모던캘리 플러리싱 캘리그라피 스타일로 적어봅시다.

▶ 단어 예시: Pastry (페이스트리), Waffle (와플), Sweets (사탕류), Muffin (머핀), Brownie (브라우니), Croissant (크루아상)

Pastry

Waffle

Sweets

Muffin

Brownie

Croissant

- 문장 쓰기

짧은 글귀들을 모노라인 플러리싱 캘리그라피로 표현 해 봅시다. 플러리싱이 붙는 위치를 기억하며 한 자씩 써 내려 갑니다.

▶ 글귀 예시: Fresh bread (신선한 빵), Tea time (티 타임), Home made (집에서 만든), Gluten free (글루텐이 없는), High quality (고품질), Bon appetit (많이 드세요)

PART 04

나만의 영문캘리
굿즈 & 디자인하기

지금까지 배운 영문캘리 서체들을 활용하여
나만의 굿즈를 아이패드로
디자인하고 제작해 보아요.
내 글씨로 재미있게 상품을 만들어 볼까요?

골드 포일 청첩장

・프로크리에이트에서는 질감 이미지를 글씨 또는 그림에 입혀 실제와 같은 효과를 낼 수 있습니다. 이탤릭 캘리그라피체와 꽃그림으로 청첩장 앞・뒷면을 채우고, 골드 포일 질감을 청첩장에 넣어보세요. 빛나는 골드 컬러가 청첩장을 한층 더 고급스럽게 만들어 줄 것입니다.

01. 청첩장 앞면 디자인하기

◉ Setting

- 브러시: 이탤릭 캘리, 스튜디오 펜 브러시
- 캔버스 크기: 1488×2079px (126×176mm)
- 해상도: 300DPI
- 컬러모드: 인쇄용 CMYK (목업파일은 RGB)

① **텍스처 불러오기**: 왼쪽 상단 동작 탭에서 [추가]→[파일 삽입하기]를 선택하여 텍스처 이미지들을 불러옵니다. 종이 텍스처 이미지를 선택하여 레이어 크기에 맞게 조정합니다.

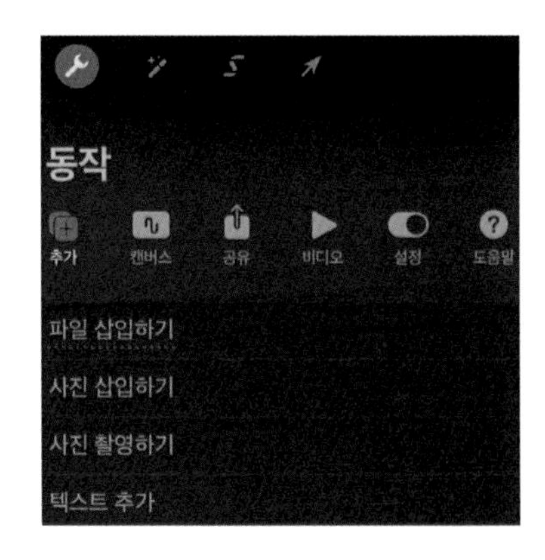

② **텍스처 레이어 모드 적용**: 종이 텍스처 레이어 창 오른쪽에 있는 작은 크기의 영어 글자를 누른 뒤, '곱하기' 또는 '선형번' 모드를 적용합니다. 청첩장 배경이 될 레이어이므로 특정 모드를 적용하여 글씨 또는 그림이 종이 바로 위에 그려진 것 같은 효과를 내기 위함입니다.

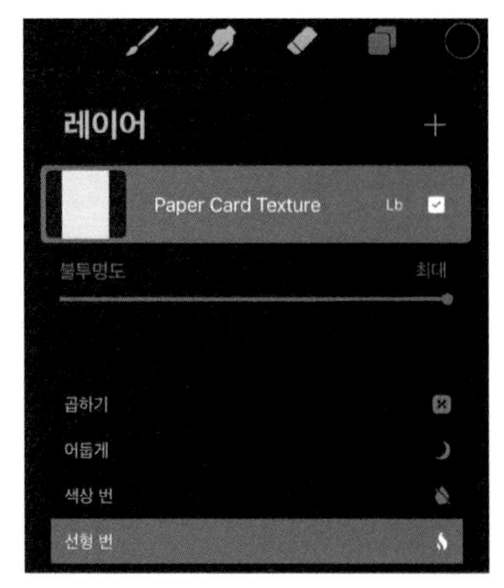

③ **텍스처 레이어 구분하기**: 종이 텍스처 레이어는 배경이므로 레이어를 왼쪽으로 쓸어 잠금을 합니다. 이후 글씨, 그림에 입힐 골드 포일 텍스처를 불러온 뒤 따로 레이어를 만듭니다.

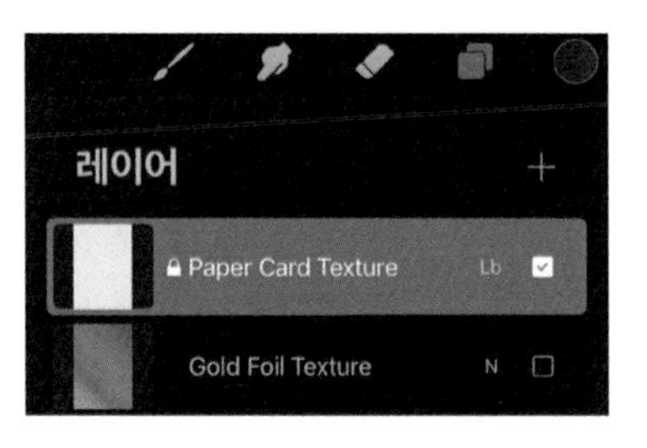

④ **디자인 브러시 선택**: 검정색을 선택한 다음, '이탤릭 전용 브러시'로 청첩장 앞면의 제목을 씁니다. '스튜디오 펜'으로 중요 정보 주변에 일러스트를 넣어 꾸밉니다.

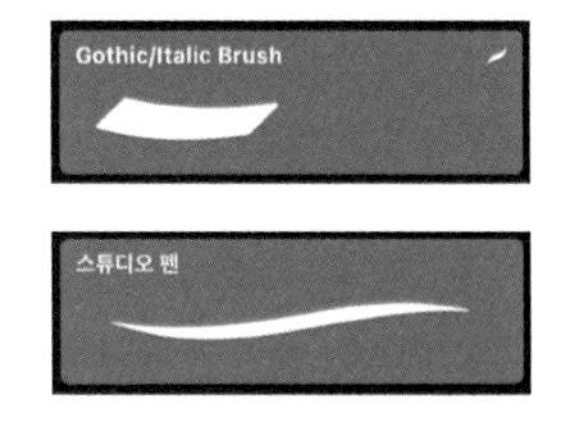

⑤ **청첩장 앞면 꾸미기**: 동작 탭에서 [추가]→[텍스트 추가]를 눌러 신랑, 신부 이름과 결혼식 날짜를 입력합니다. 이탤릭 영어 글귀와 텍스트를 보기 좋게 배치하고, 원 모양 틀을 '**이탤릭 브러시**'로 글자 주변에 그립니다. 텍스트 레이어는 '**래스터화**' 하여 글귀와 합칩니다. 원 틀 위 작은 꽃들을 그려 넣어 앞면 디자인을 마무리 합니다.

⑥ **글자에 텍스처 입히기**: 검정 글씨, 그림이 있는 레이어 위 골드 포일 텍스처 레이어를 생성합니다. 포일 텍스처를 검정색 부분에 넣기 위해, 텍스처 레이어 클릭 후 왼쪽 목록의 '**클리핑 마스크**'를 선택합니다.

◉ Tip

텍스트 레이어를 눌러 래스터화하면, 텍스트가 자체 이미지가 되어 서체 변경이 불가능하게 됩니다.

⑥ **레이어 그룹 지정하기**: 청첩장 내용에 해당하는 레이어 두 개를 각각 왼쪽에서 오른쪽으로 당긴 뒤, 오른쪽 상단의 '그룹' 버튼을 눌러 그룹을 만듭니다.

⑦ **레이어 그룹명 생성 및 완성**: 새로 생성된 그룹 레이어의 이름을 짓습니다. 청첩장 앞면을 뜻하는 그룹명을 영어로 간단하게 입력 후, 앞면 디자인을 완성합니다.

02. 청첩장 뒷면 디자인하기

① **디자인 브러시 선택**: 앞면 디자인 할 때와 마찬가지로 검정 색상을 선택한 뒤, 중요 정보를 '이탤릭 브러시'로 씁니다. '스튜디오 펜'으로는 작은 그림을 그립니다.

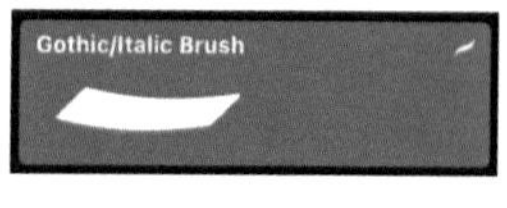

② **청첩장 뒷면 꾸미기**: 청첩장 뒷면에는 앞면보다 더 많은 정보들이 들어갑니다. 동작 탭에서 [추가]→[텍스트 추가]를 눌러 결혼식 장소, 날짜, 지역 등 구체적 정보들을 입력합니다. '이탤릭 브러시'로 신랑, 신부의 이름, 소제목을 이탤릭체로 예쁘게 씁니다. 브러시 크기를 좀 더 두껍게 하여 사각 틀을 그린 뒤 모서리 쪽에 꽃 그림을 그려 꾸밉니다.

◉ Tip

영어 날짜는 '요일, 월, 일, 연도'순으로 적습니다. 이 후 '시간, 작은 장소, 큰 장소' 순서로 나열합니다.

③ **레이어 그룹명 생성**: 클리핑 마스크가 적용된 포일 레이어와 검정 색상 청첩장 레이어를 묶을 그룹을 만듭니다. 두 레이어를 당겨 그룹 레이어를 만든다음, 청첩장 뒷면을 뜻하는 그룹명을 짓습니다.

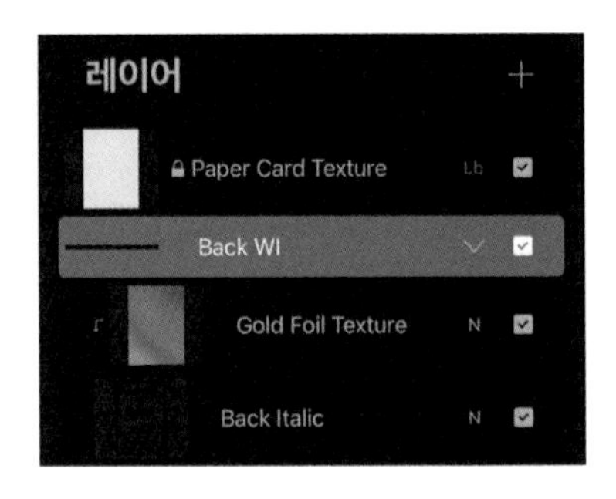

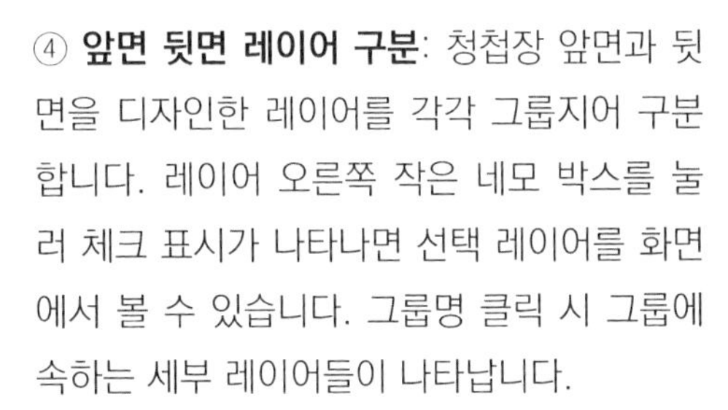

④ **앞면 뒷면 레이어 구분**: 청첩장 앞면과 뒷면을 디자인한 레이어를 각각 그룹지어 구분합니다. 레이어 오른쪽 작은 네모 박스를 눌러 체크 표시가 나타나면 선택 레이어를 화면에서 볼 수 있습니다. 그룹명 클릭 시 그룹에 속하는 세부 레이어들이 나타납니다.

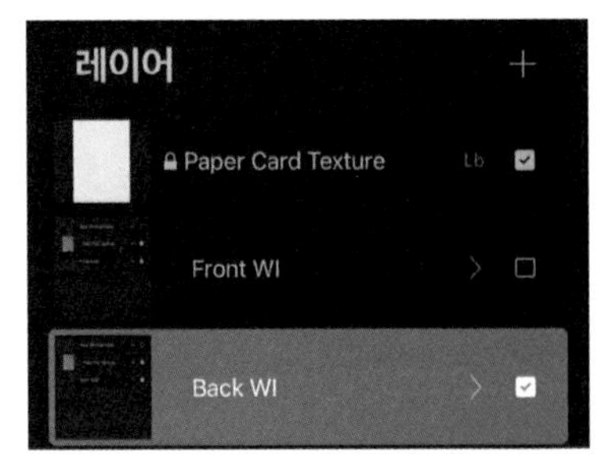

⑤ **나만의 청첩장 만들기**: ‘Your Writing Here‘라는 이름의 레이어를 체크하여 청첩장 테두리 박스를 엽니다. 이전에 사용했던 브러시로 테두리 안을 영어 문구들로 채웁니다. 검정 글씨에 포일 질감을 입히기 위해 해당 레이어를 포일 레이어 아래로 이동시킵니다. 이 때, 포일 질감에 '**클리핑마스크**'가 적용되어 있는지 확인해야 합니다.

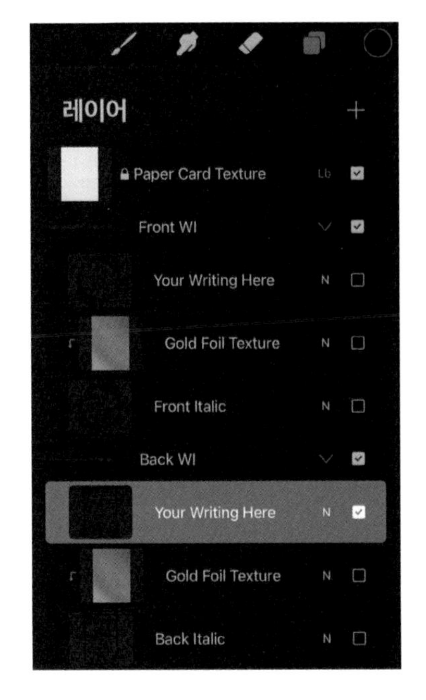

◉ **청첩장에 들어갈 글귀 찾아 써보기**

'Save the date.'는 '이 날을 꼭 기억하라.'는 뜻입니다. 청첩장에 자주 쓰이는 다른 표현도 써보세요.

글리터 생일 토퍼

생일 케이크를 장식할 생일 토퍼를 진짜같은 디지털 목업 이미지로 작업 해 봅니다. 모던 캘리체로 짤막한 영문 생일 글귀를 쓴 뒤, 글리터 질감을 입히는 것이랍니다. 가까운 사람들의 생일 날, 반짝이는 알갱이가 돋보이는 생일 토퍼 목업을 만들어 축하의 마음을 표현해요.

01. 생일토퍼 목업 만들기

◉ Setting

- 브러시 및 팔레트: 모던 캘리, 소프트 브러시, Glitter_Birthday_Cake_Topper.swatches
- 캔버스 크기: 2732×2048px
- 해상도: 132DPI
- 컬러모드: 웹용 RGB

① **사진 불러오기**: 왼쪽 상단 동작 탭에서 [추가]→[파일 삽입하기]를 선택하여 케이크사진을 가져옵니다. 사진의 모서리를 잡고 늘리며 레이어 화면에 맞춥니다.

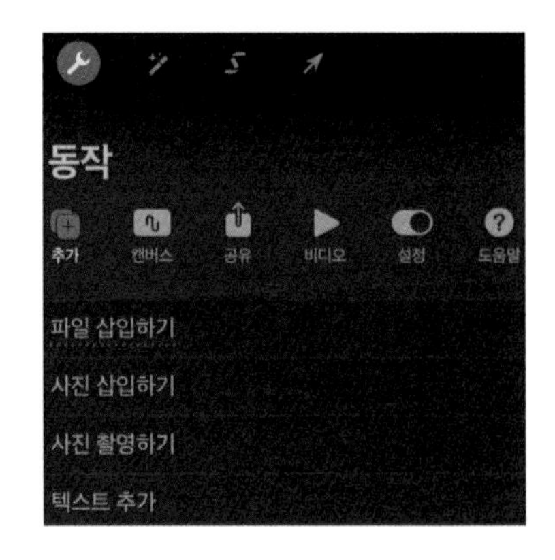

② **글귀 브러시 선택**: 케이크에 어울리는 생일 영어 문구를 '**모던 캘리 브러시**'로 써 봅니다. 브러시 색상은 검정으로 설정합니다.

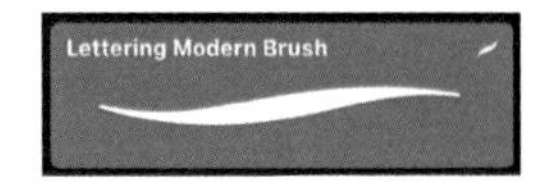

③ **영문 토퍼 글귀 만들기**: 생일 영어 글귀 'Happy Birthday'를 모던 캘리그라피체로 씁니다. 케이크 토퍼에 쓰일 글귀이므로 한 줄로 쓰는 것 보다는, 두 단어가 겹쳐 보이게 하는 것이 좋습니다. 두 레이어에 각각 'Happy', 'Birthday'를 쓰고, 비어 보이는 공간은 글자에 플러리싱을 채워 꾸밉니다.

④ **레이어 병합하기**: 'Happy' 레이어 'Birthday' 레이어를 하나로 합칩니다. 첫 번째 레이어의 제목 부분을 터치하여 왼쪽 목록의 '아래 레이어와 병합'을 누릅니다.

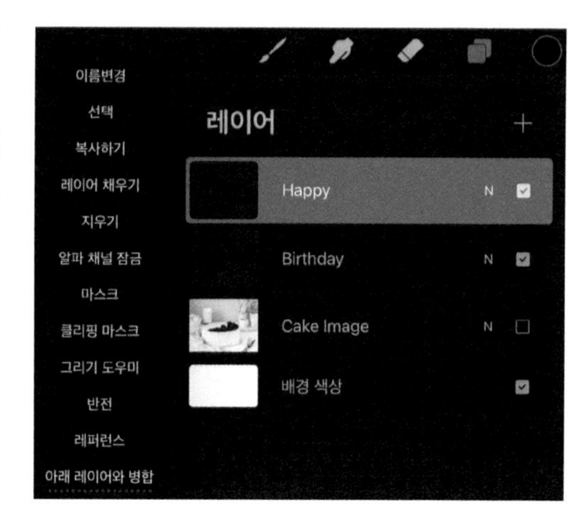

⑤ **글씨를 사진에 합성**: 영문 토퍼 생일 글귀 이미지 크기를 적당히 축소하여 케이크 사진 위쪽에 놓습니다. 실제 같아 보이도록, 케이크 토퍼를 꽂는 나무 막대기를 함께 그려 넣습니다. 각 레이어를 오른쪽으로 당겨 하나의 그룹으로 묶어주세요.

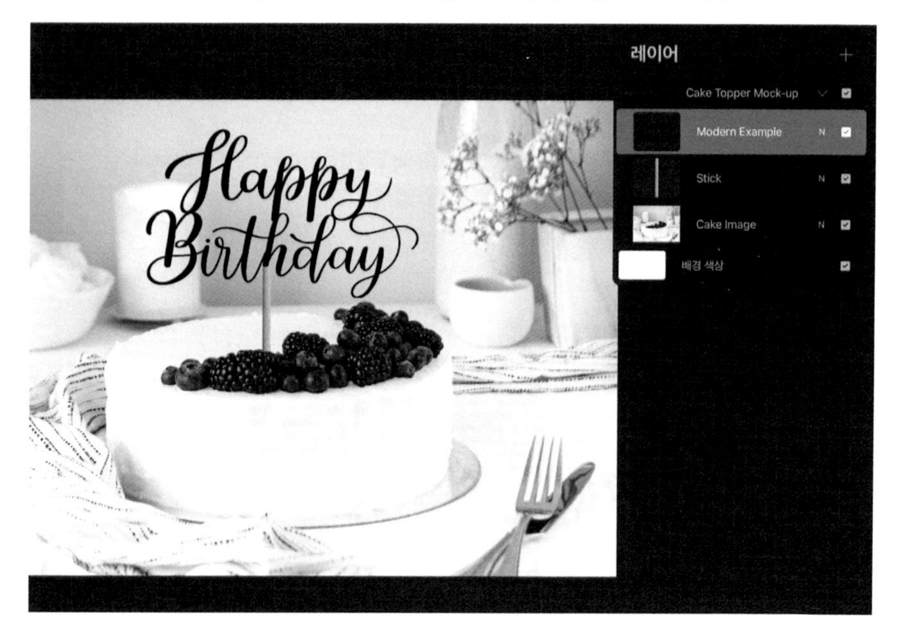

◉ Tip

무료 이미지는 'Pixabay, Unsplash, Pexels' 등의 웹사이트에서 다운받을 수 있습니다.

⑥ **글자에 텍스처 입히기**: 동작탭에서 [추가]→[파일 삽입하기]를 눌러 글리터 텍스처를 불러옵니다. 검정 글씨에 텍스처를 입히기 위해, 텍스처 레이어 제목을 눌러 왼쪽 목록의 '**클리핑 마스크**'를 선택합니다.

⑦ **텍스처 화면 모드 설정**: 글리터 텍스처 레이어 오른쪽 작은 알파벳을 눌러 화면 모드를 변경합니다. 글리터 질감의 빛이 돋보일 수 있도록 '**하드 라이트**'를 선택합니다.

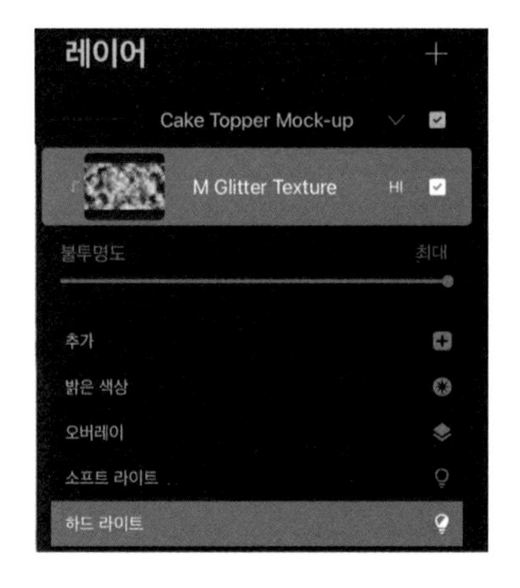

⑧ **텍스처 음영 조절 및 완성**: 클리핑 적용된 글씨의 음영을 살려 리얼한 토퍼를 연출합니다. 글리터 토퍼와 비슷한 색상을 골라 '**소프트 브러시**'로 자연스럽게 색칠합니다. 음영 효과를 극대화 하기 위해, 레이어 오른쪽 작은 알파벳을 클릭 후 '**곱하기**' 모드를 적용합니다. 마지막으로 토퍼 크기를 알맞게 조절하면 완성입니다.

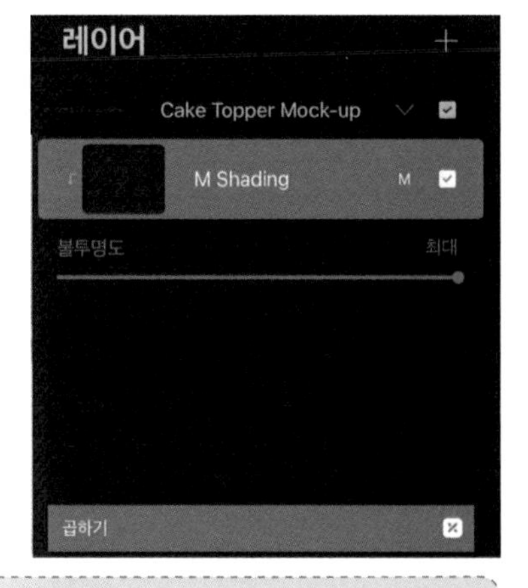

◉ 케이크 토퍼에 쓰이는 영어 글귀 써보기

생일 축하 표현 외에 케이크 토퍼에 쓰일 만한 영어 글귀를 찾아 모던캘리그라피로 써 보세요.

홈카페 네온사인

홈카페에 어울릴 네온사인을 모노라인 캘리 글씨를 넣어 완성 해 봅니다. 간단히 그린 그림과 캘리에 네온 불빛이 새어나오게 하는 효과를 적용하여 독특한 느낌을 연출합니다. 나만의 홈카페를 꾸민다는 상상을 하며, 프로크리에이트로 재미있게 네온사인을 디자인 해 보세요.

01. 네온사인 디자인하기

◉ Setting

- 브러시 및 팔레트: 모노라인 캘리, 소프트 브러시, Neon_Sign_Light.swatches
- 캔버스 크기: 2732×2048px
- 해상도: 132DPI
- 컬러모드: 웹용 RGB

① **텍스처 색상 조정**: 동작탭의 [추가]→[파일 삽입하기]에서 벽돌 텍스처를 불러온 다음, 조정탭의 [색조, 채도, 밝기]를 눌러 텍스처 이미지 색에 변화를 줍니다. 하단에 나타나는 바를 왼쪽 오른쪽으로 움직이며 이미지를 조정합니다.

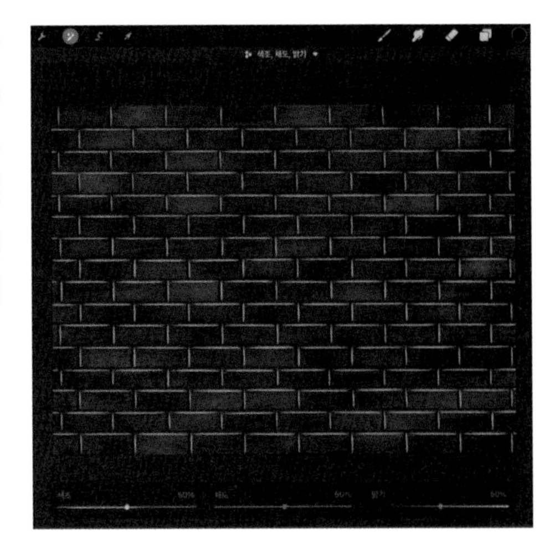

② **디자인 브러시 선택**: 네온사인을 가장 잘 표현할 브러시를 선택합니다. 필압에 변화없는 '모노라인 브러시'를 추천합니다.

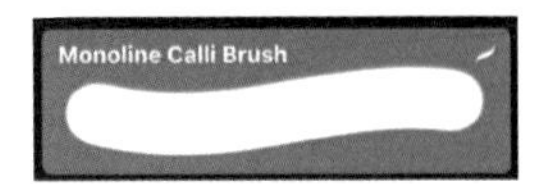

③ **밑그림 그리기**: 흰색 모노라인 브러시로 홈카페 네온사인의 밑그림을 그립니다. 벽돌 레이어 위 별도의 레이어를 만든 뒤, 커피 일러스트와 홈카페 제목을 그립니다. 'My Home Cafe'를 모노라인 캘리그라피로 써 봅니다.

④ **브러시 추가 선택**: 벽 그림자를 자연스럽게 표현하기 위해 에어브러시 탭에서 '**소프트 브러시**'를 택합니다. 추후 네온사인의 빛 번짐을 나타낼 때에도 좋은 브러시입니다.

⑤ **벽에 그림자 넣기**: 밑그림 레이어 아래 새 레이어를 만듭니다. 어두운 색상을 골라, '**소프트 브러시**'로 벽돌 테두리에서부터 가운데 쪽으로 색칠합니다. 원형 밑그림에 시선을 둘 수 있게, 가운데로 갈수록 원형을 만듭니다.

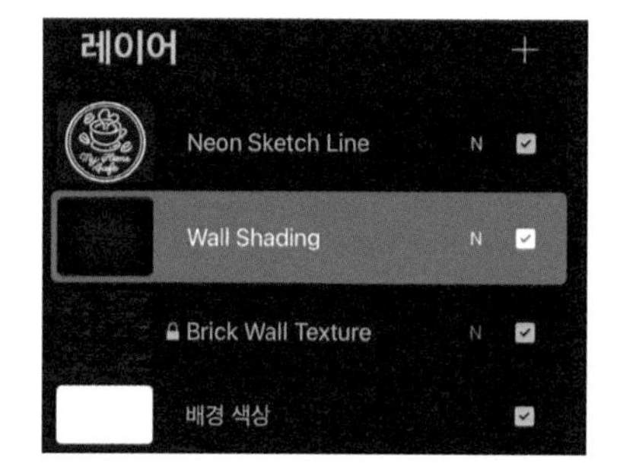

⑥ **폴더로 그림 나누기 및 효과 적용**: 밑그림을 부분별로 나누어 그룹 폴더로 묶습니다. 모노라인 글씨, 하트, 커피, 원 이렇게 4개의 폴더로 나눈 뒤, 그림을 한번 더 복사해 빛과 그림자 레이어를 만듭니다. 빛 레이어 오른쪽 편 작은 알파벳을 터치하여 '**선형 라이트**', '**스크린**' 등의 효과를 줍니다. 빛이 강하지 않으면서 적당히 투명하게 보이도록 하는 효과들 입니다. 그림자 레이어는 조정탭의 '**가우시안 흐림 효과**'를 살짝 주어, 그림자가 자연스럽게 퍼져나가게 합니다.

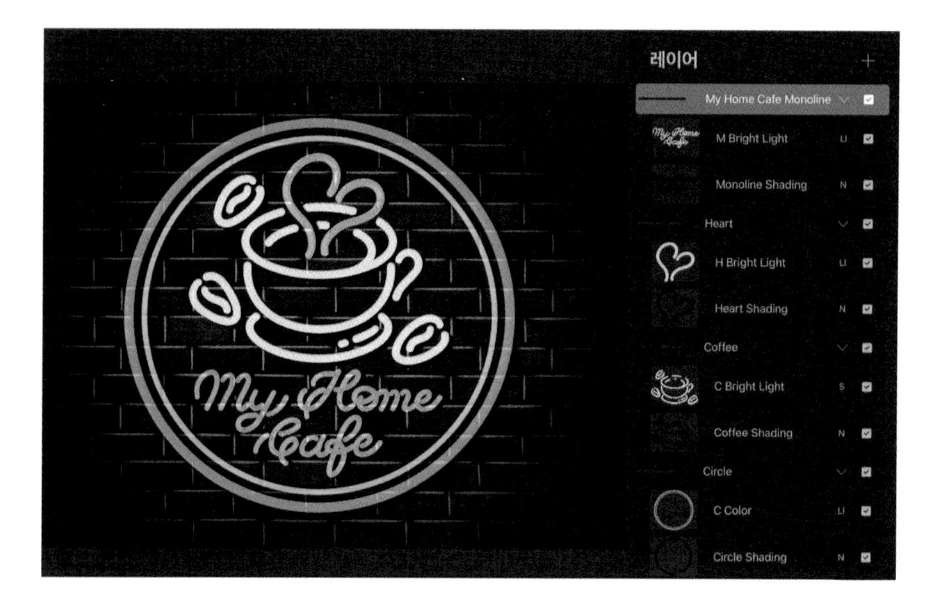

⑦ **빛 효과 레이어 추가**: 빛 레이어를 원형 그룹을 제외한 각 그룹에 하나씩 추가하여 빛의 깊이감을 더합니다. 그룹의 두번째 레이어 오른쪽 작은 알파벳을 눌러 **'추가'**, **'하드 라이트'** 등을 적용합니다. 빛이 네온사인 주변으로 퍼져보이도록, 네온사인과 같은 색상을 선택하여, **'소프트 브러시'**로 네온사인 주변을 살짝 색칠합니다. 마지막으로 조정탭 **'가우시안 흐림 효과'**를 살짝 주어 자연스러운 빛을 표현합니다.

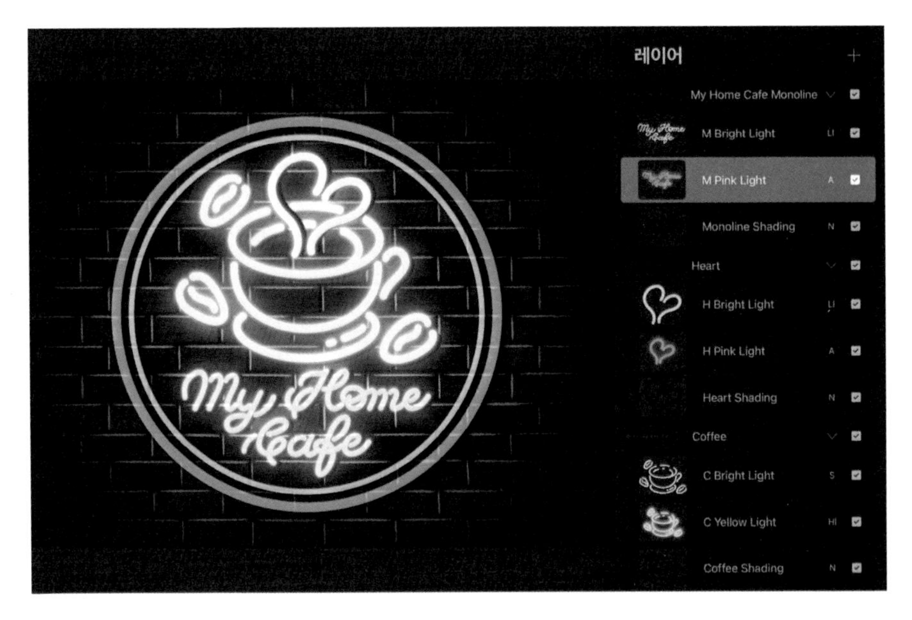

⑧ **원형 빛 적용**: 두 개의 원형 네온사인에 각각 빛 효과를 줍니다. **'선형 라이트'** 효과 적용 후, 두번째 레이어에 네온사인과 같은 색상의 **'소프트 브러시'**로 주변을 색칠합니다. 네온사인 빛이 더 퍼져보이게 하고 싶다면, 이전과 같이 조정탭에서 **'가우시안 흐림 효과'**를 약하게 줍니다.

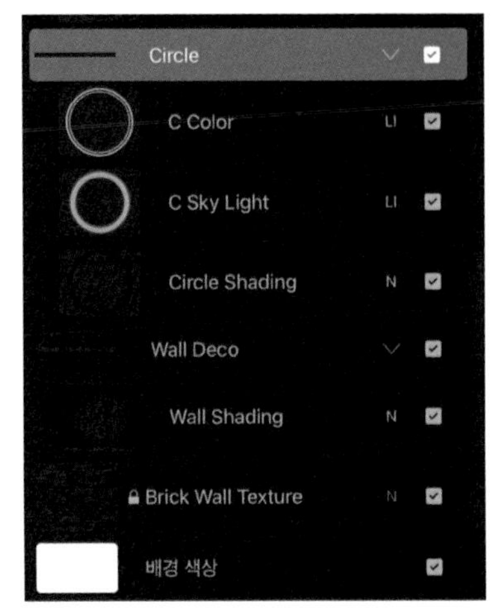

⑨ **글씨에 흐림 효과 적용**: 모노라인 캘리 그룹으로 돌아와서 글씨의 배경이 될 레이어를 하나 더 추가합니다. 두번째 빛 레이어 색이 분홍색임을 참고하여, 분홍색 '**소프트 브러시**'로 글씨 주변을 칠합니다. 빛이 흐리게 번지는 효과를 주기 위해, 레이어 제목을 터치하여 **불투명도**를 87% 정도 줍니다.

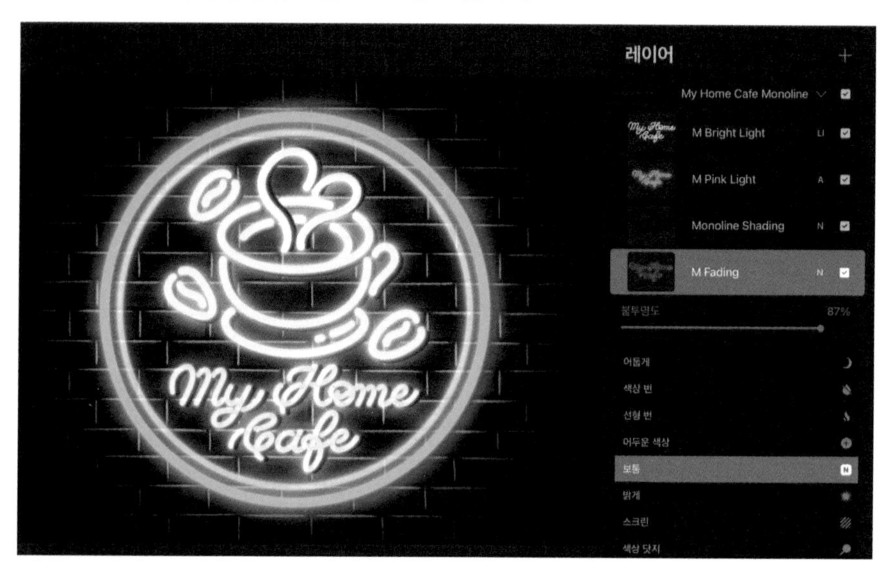

⑩ **원에 흐림 효과 적용**: 두 원에도 흐림 효과를 적용하여 빛이 번져 보이게 합니다. '**소프트 브러시**' 크기를 얇게 하여 안쪽 원을 색칠한 뒤, 레이어를 터치하여 **불투명도**를 87% 정도로 설정합니다. 약간의 '**가우시안 흐림효과**'를 더해 주어도 좋습니다. 바깥쪽 원은 빛 번짐 효과가 더 크게 나도록 레이어를 두 개 추가하여 앞의 과정을 반복합니다.

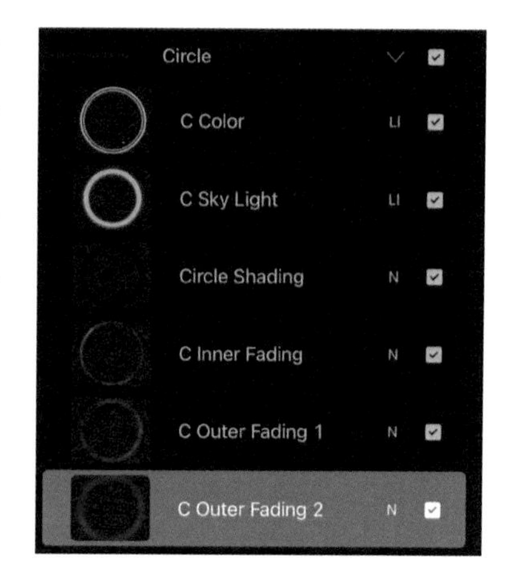

◉ Tip

그림자 효과에 이용가능한 모드로는 '**곱하기, 선형번**' 등이 있습니다. 빛 효과가 나는 모드는 '**추가, 소프트 라이트, 하드 라이트, 선명한 라이트, 선형 라이트, 핀 라이트**' 등입니다.

⑪ **네온사인 전선 추가**: 네온사인 디자인을 완성한 뒤 케이블 전선을 글씨와 그림 주변에 그려 넣습니다. 굵기가 일정한 '**모노라인 브러시**' 크기를 최대한 작게 하여 불규칙한 패턴으로 선을 그립니다. 전선 레이어는 벽과 가까이 있으므로 벽돌 레이어 위 'Wall Deco' 그룹에 포함시켜, 다른 레이어와 구분 짓습니다.

⑫ **그룹 레이어 정리**: 각 그룹 레이어의 화살표를 눌러 레이어들이 알맞게 분류되어 있는지 점검합니다. 그룹 박스를 눌렀다 떼었다 하며, 빠뜨린 레이어가 없는 지 확인합니다. 네온사인 불빛이 약해 보이는 부분이 보이면, '**소프트 브러시**'를 이용하여 보정하도록 합니다.

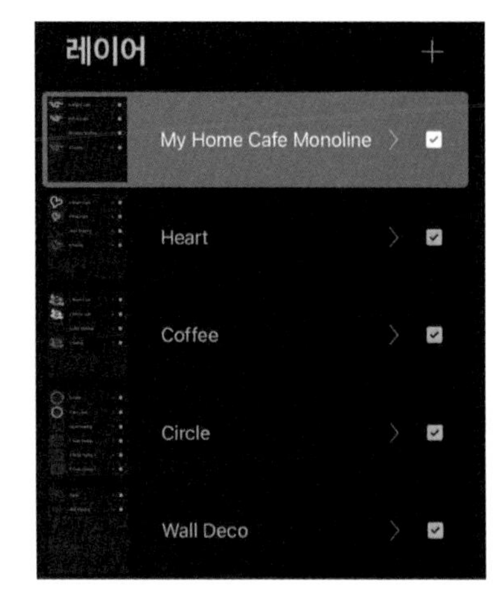

◉ 상점 이름을 넣은 네온사인 이미지 만들기

가상의 상점 이름을 지어 모노라인 캘리그라피로 쓴 뒤, 네온사인 효과를 넣어 보세요.

선물 태그

종이 질감을 넣은 선물 태그 목업을 디자인 해 봅니다. 짧은 인사 글귀를 이탤릭 캘리그라피로 쓰고, 나뭇잎 일러스트를 넣어 태그를 꾸밉니다. 크라프트 종이 질감을 다운받아 태그에 입혀 보세요. 우둘투둘한 질감이 살아있는, 멋스러운 선물 태그를 만들 수 있을 것입니다.

01. 태그 목업 만들기

◉ Setting

- 브러시 및 팔레트: 이탤릭 캘리, 소프트, 커러웡, 도브레이크 브러시, Gift_Tag.swatches
- 캔버스 크기: 638×1110px (54×94mm)
- 해상도: 300DPI
- 컬러모드: 인쇄용 CMYK (목업파일은 RGB)

① **태그 틀 그리기**: 새 레이어를 열어, **'모노라인 브러시'**로 태그 틀을 간단하게 그립니다. 브러시 크기는 제일 작은 사이즈로 맞춥니다.

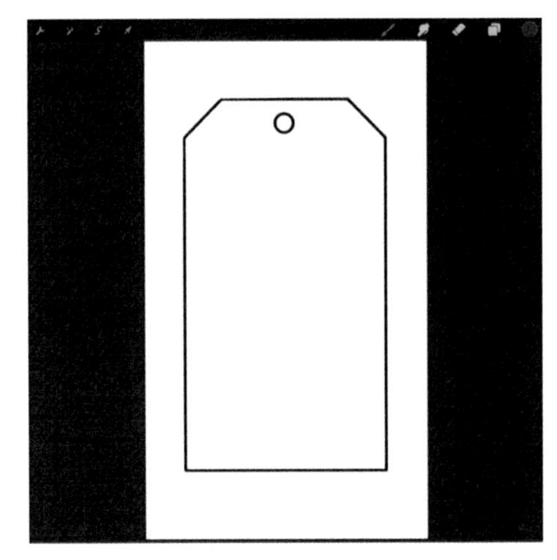

② **글귀 브러시 선택**: '이탤릭 브러시'로 선물 태그에 어울릴 글귀를 이탤릭 캘리그라피로 적어봅니다. 짧막한 글귀를 쓰면 됩니다.

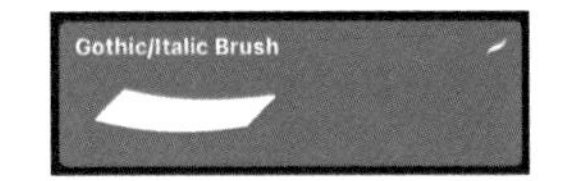

③ **태그 글귀 쓰기**: 태그 틀 레이어 위로 새 레이어를 만들고, 선물 태그 글귀를 씁니다. 'All the best'는 누군가의 소원을 빌어 줄 때 쓰는 말입니다. 글귀를 태그 가운데에 위치시킨 후, 모노라인 브러시로 글씨 주변을 꾸밉니다. 브러시 크기를 작게 하여 나뭇잎 일러스트를 그립니다.

④ **태그에 색상 넣기**: 태그 틀 레이어를 황토색으로 채웁니다. 글씨 레이어는 그대로 둔 채 태그 틀에만 색상을 넣습니다.

⑤ **그림자 진 배경 넣기**: 사실적인 목업을 만들기 위해 그림자 효과를 배경 레이어 위에 줍니다. 배경에 색을 넣은 후, 황토색 태그를 복사합니다. 복사한 태그 레이어를 그림자로 사용하기 위해 어두운 색을 넣고 옆으로 조금 이동시킵니다. 자연스러운 그림자 효과를 주고 싶다면 조정탭에서 '**가우시안 흐림 효과**'를 적용합니다.

⑥ **텍스처 태그에 적용**: 크라프트 텍스처를 태그에 입힙니다. 동작탭의 [추가]→[파일 삽입하기]에서 크라프트 텍스처를 불러옵니다. 황토색 태그 레이어 위 텍스처 레이어를 위치시킵니다. 불러온 텍스처 레이어 제목을 터치하여 나타나는 왼쪽 목록에서 '**클리핑 마스크**'를 선택합니다.

⑦ **입체감 있는 태그 디자인**: 크라프트 질감에도 음영 효과를 주어 리얼한 느낌을 연출합니다. 두 개의 새 레이어를 질감 레이어 위에 만들고 '**소프트 브러시**'로 색칠합니다. 그림자 레이어에는 '**곱하기**' 모드, 빛 레이어는 '**추가**' 모드를 적용합니다. 마지막으로 태그 구멍을 관통하는 끈 또한 음영을 살려 그립니다.

⑧ **배경에 음영 효과 및 완성** : 배경에도 음영을 넣습니다. 배경색보다 어두운 컬러를 선택하고 질감, 그림자, 빛 레이어를 각각 만듭니다. 질감 레이어의 경우, 브러시 텍스처 탭 의 '**커러웡**'이나 '**도브 레이크 브러시**'로 살살 칠합니다. 그림자 레이어는 우측 하단, 빛 레이어는 왼쪽 상단 쪽으로 색을 넣습니다. 손가락 도구로 주변 색을 문질러 완성합니다

◉ 선물 태그에 자주 쓰이는 영어 글귀 써보기

선물 태그에 잘 쓰이는 다른 영어 글귀들을 찾아, 이탤릭 캘리그라피로 써 보세요.

양각 명함

글씨 부분이 도드라져보이는 양각 명함 앞 • 뒷면을 디자인 해 봅니다. 나의 비즈니스 명을 카퍼플레이트 캘리그라피로 쓰고, 그림자와 명암을 조절하여 입체감 있는 글씨를 표현해 보세요. 관련 소셜 미디어 계정 정보를 하단에 표시하며, 명함 필수 정보를 하나씩 채웁니다.

01. 명함 앞면 디자인하기

◉ Setting

- 브러시 및 팔레트: 카퍼플레이트 캘리, 소프트 브러시, Embossed_Business_Card.swatches
- 캔버스 크기: 1087×614px (92×52mm)
- 해상도: 300DPI
- 컬러모드: 인쇄용 CMYK (목업파일은 RGB)

① **텍스처 배경에 입히기**: 동작탭의 [추가]→[파일 삽입하기]에서 종이텍스처를 불러옵니다. 명함 배경 레이어에 색을 넣은 후 그 위에 텍스처 레이어를 위치시켜 **곱하기** 모드를 적용합니다.

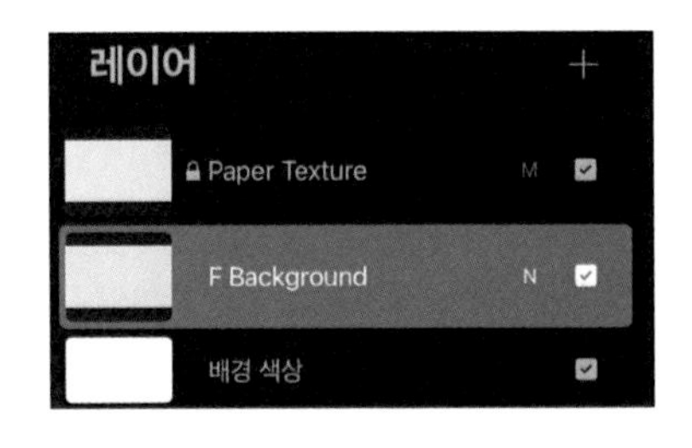

② **글귀 브러시 선택**: 명함 앞면 글귀 디자인을 위해 **'카퍼플레이트 브러시'**를 선택합니다. 브러시 색상은 검정입니다.

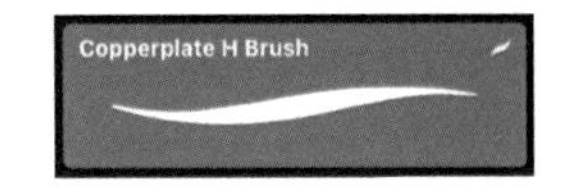

③ **명함 앞면 글귀 쓰기**: 본인의 직업과 관련된 짧은 글귀를 카퍼플레이트 캘리로 씁니다. 예시 영문 글귀는 'Kim's Craft Shop' 입니다. 단어의 첫글자를 대문자로 적습니다. 글씨와 배경은 하나의 그룹으로 묶어주세요.

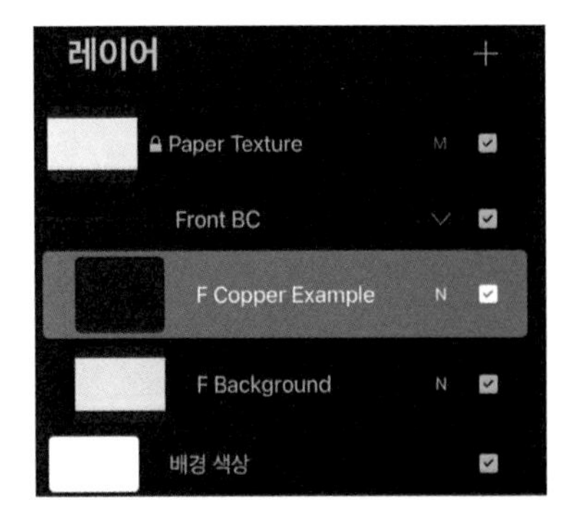

④ **텍스트와 아이콘 추가**: 동작탭에서 [추가]→[텍스트 추가]를 눌러 텍스트 레이어 두 개를 생성합니다. 직업과 관련된 세부 정보와 SNS 주소를 텍스트로 입력합니다. 별도의 레이어를 만들고, SNS 아이콘을 심플하게 그려 넣습니다.

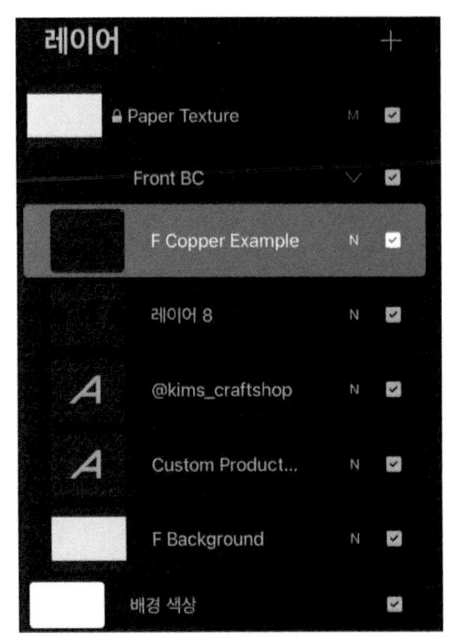

⑤ **레이어 병합**: 글씨, 아이콘, 텍스트 레이어를 병합합니다. 글씨 레이어 제목을 눌러 나오는 왼쪽 목록에서 '**아래 레이어와 병합**'을 터치합니다. 병합한 레이어에 녹색을 넣은 다음, '**곱하기**' 모드를 적용합니다.

⑥ **그림자 글씨 만들기**: 글씨 레이어를 복사하여 검은 색상의 그림자 레이어로 만듭니다. 자연스러운 그림자 표현을 위해 조정 탭의 '**가우시안 흐림 효과**'를 넣습니다. 글씨 레이어에 곱하기 모드가 적용되어 있어 아래 어두운 그림자 색이 비칩니다.

⑦ **글씨 외곽에 빛 넣기**: 초록색 글씨와 그림자 레이어 사이에 외곽 빛 레이어를 만듭니다. 녹색 레이어를 더 복사하여 흰색을 채우고, 레이어 모드를 '**추가**'로 설정합니다. 레이어를 옆으로 조금 옮긴 후, 조정탭의 '**가우시안 흐림 효과**'를 넣습니다.

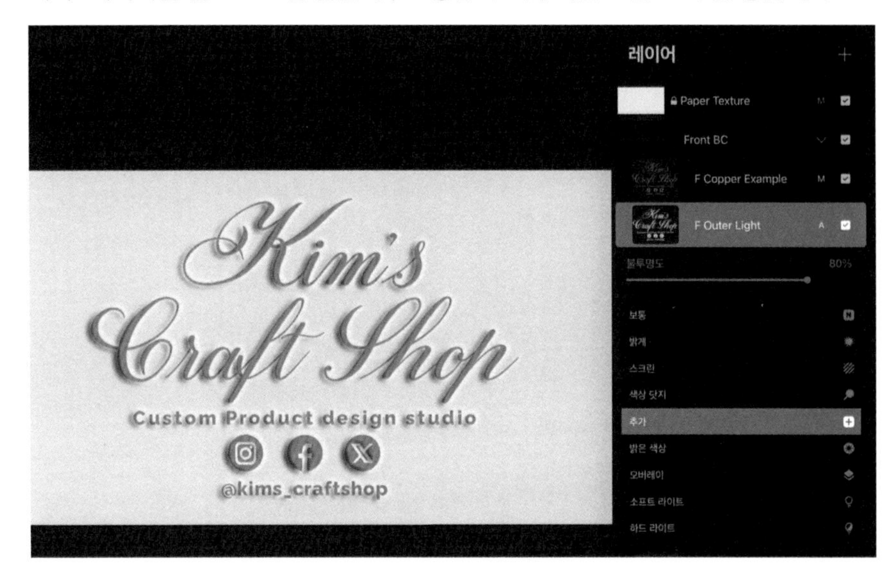

⑧ **글씨 내부에 빛 넣기 및 완성**: 글씨 안에 빛 효과를 주기 위해 글씨 레이어 위 내부 빛 레이어를 만듭니다. 흰색 '**소프트 브러시**'로 글씨 내부를 약한 압력으로 칠합니다. 조정탭의 '**가우시안 효과**'를 약하게 넣으면, 명함 앞면 디자인은 완성입니다.

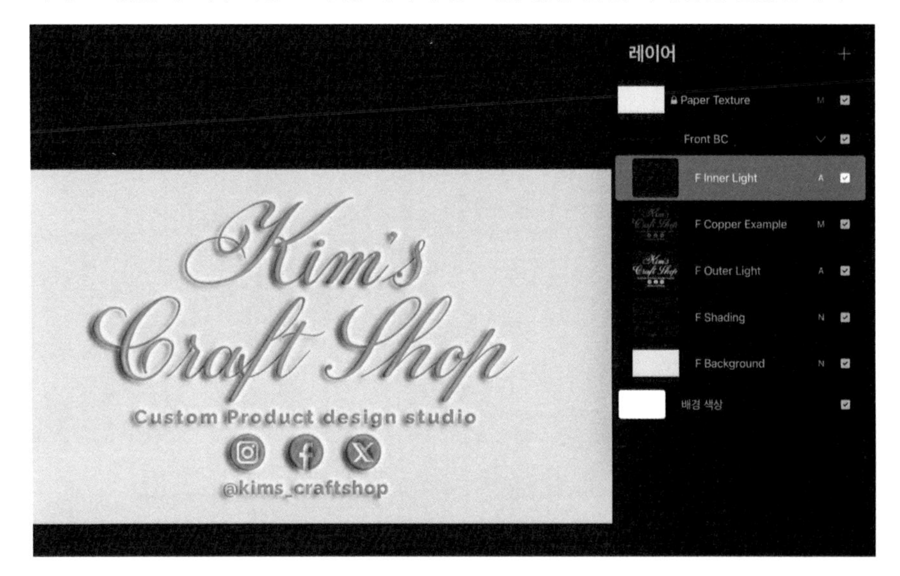

02. 명함 뒷면 디자인하기

① **명함 뒷면 글귀 쓰기**: 배경 레이어에 색을 넣은 후, 영어 이름을 '이름 성' 순으로 카퍼플레이트체로 씁니다. 이름, 성의 첫 글자는 대문자 형태로 그립니다. 앞면 레이어 그룹과 구분하기 위해 뒷면 그룹을 만들어 배경, 글씨 레이어를 함께 묶습니다.

◉ Tip

빛 모드로 '추가, 소프트·선형·하드·핀 라이트'가 있고, 그림자 모드에는 '곱하기, 선형 번' 등 입니다.

② **텍스트와 아이콘 추가**: 동작탭에서 [추가]→[텍스트 추가]를 눌러 텍스트 레이어를 여러 개 만듭니다. 명함 앞면에 들어간 정보보다 많은 사항들을 텍스트로 입력합니다. SNS 주소, 전화번호, 이메일, 웹사이트 등 필요한 정보들을 쓴 다음, 보기좋게 배치합니다.

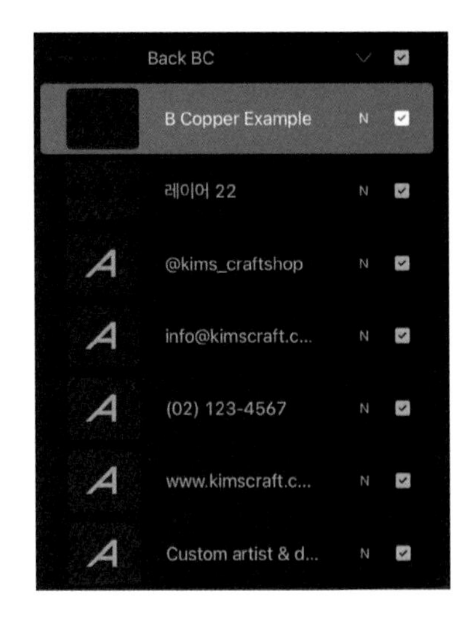

③ **글씨 외부, 내부에 빛 넣기 및 완성**: 글씨 레이어를 하나 복사하여 초록색 글씨 아래에 둡니다. 흰색으로 채워 '**추가**' 모드를 적용한 후 옆으로 조금 이동시킵니다. 내부 빛 레이어를 녹색 글씨 위에 놓고 같은 모드를 적용합니다. 흰색 '**소프트 브러시**'로 글씨 안을 살짝 칠한 뒤, 두 빛 레이어에 '**가우시안 효과**'를 주어 마무리합니다.

◉ **나만의 영문 캘리 명함 만들기**

나의 영문 성명, 직업 등을 카퍼플레이트체로 적어, 나만의 영문 캘리 명함을 만들어 보세오.

그라데이션 티셔츠

캘리그라피 글씨가 프린트 되어 있는 것처럼 보이는 티셔츠 목업 이미지를 만듭니다. 다운받은 티셔츠 사진 위에, 고딕 캘리그라피 글씨를 쓰고 그라데이션 색상을 입혀 보세요. 나의 글씨가 들어간 티셔츠를 입어 보기전에, 이미지를 보는 것 만으로도 마음이 설렐 것 입니다.

01. 티셔츠 목업 만들기

◉ Setting

- 브러시 및 팔레트: 고딕 캘리, 면직물, 사각 모노라인 브러시, T-Shirt_Gradation.swatches
- 캔버스 크기: 4429×5020px (375×425mm)
- 해상도: 300DPI
- 컬러모드: 인쇄용 CMYK (목업파일은 RGB)

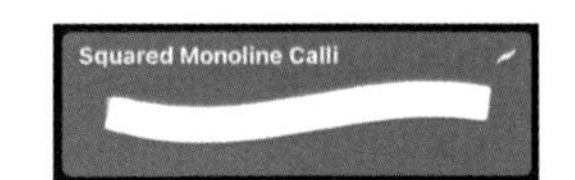

① **티셔츠 틀 브러시 선택**: 사각 모양의 '모노라인 브러시'를 선택하여 티셔츠 안에 그릴 형태를 구상합니다.

② **네모 틀 그리기**: 정사각 모양의 틀을 사각 모노라인 브러시로 크게 그립니다. 펜슬로 사각 형태를 그린 상태에서 잠시 펜슬을 떼지 않고 동작을 멈춥니다. 각이 살아있는 네모 화면이 나타나면, 동시에 한 손가락으로 화면을 터치합니다.

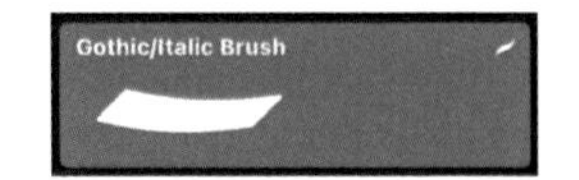

③ **글귀 브러시 선택**: '고딕 브러시'를 선택하여 네모 틀 안에 넣을 글귀를 정합니다. 적당한 굵기의 브러시가 되도록 조절합니다.

④ **명언 글귀 쓰기**: 정사각 틀 안에 고딕 브러시로 다음의 영어 명언을 대문자로 눈에 띄게 씁니다. "EVERY DAY IS A FRESH START."입니다. 영어 문장 속 단어들을 의미 단위로 세로로 배열하여 적습니다. 비어 보이는 공간은 간단한 일러스트로 채워 넣습니다.

◉ 좋아하는 영어 명언을 넣어 티셔츠 디자인 하기

좋은 의미의 영어 글귀들을 찾아 고딕 캘리그라피로 쓰고, 티셔츠 디자인에 활용 해 보세요.

⑤ **이미지 불러오기**: 동작탭의 [추가]→[파일 삽입하기]에서 오렌지 색 티셔츠 사진을 불러옵니다. 배경 레이어를 회색으로 설정 후 그 위에 티셔츠 레이어를 만듭니다. 고딕 글씨 디자인 레이어는 잠시 체크를 해제해 둡니다.

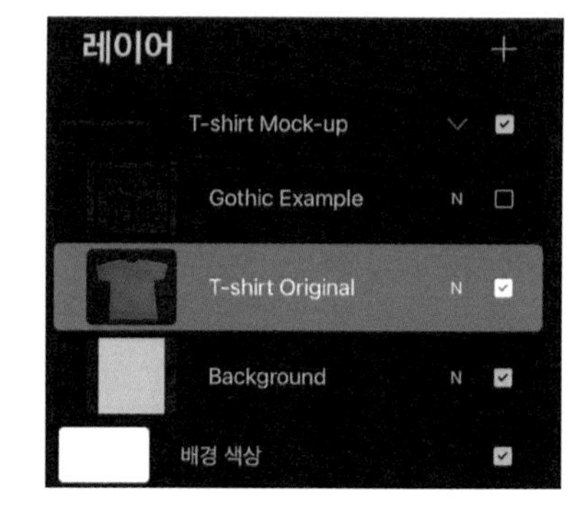

⑥ **티셔츠 색 변경**: 정사각 오렌지 색 티셔츠를 검정색으로 바꾸기 위해 조정 탭의 [**색조, 채도, 밝기**]를 누릅니다. 사진 아래의 바를 화면에서 보이는 것과 비슷한 수치로 움직여 검은 색 티셔츠에 가깝게 조정합니다. (색조: 60%, 채도: 5%, 밝기: 35%)

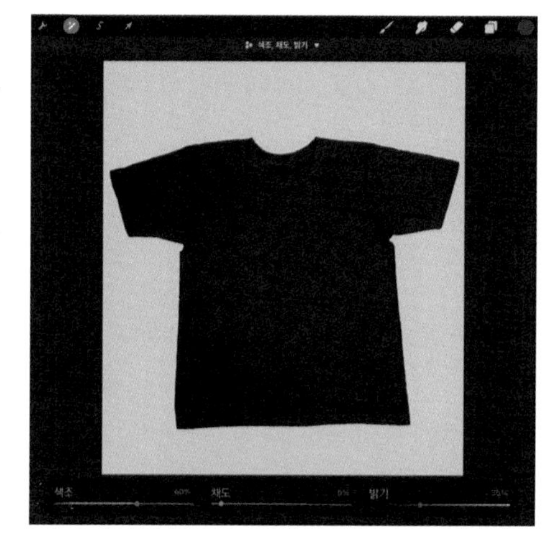

⑦ **네모 직사각 박스 추가**: 글씨가 티셔츠 안에 들어가도록 크기를 줄입니다. 티셔츠 하단 'FRESH START' 문구가 돋보이도록 글자 뒤에 직사각형 박스를 그립니다. '**사각 모노라인 브러시**'로 직사각형 네모를 그린 후 노란색을 채웁니다.

◉ Tip

질감 레이어는 '곱하기' 모드로 설정하여, 질감이 다른 레이어에 비쳐 보이게 합니다.

⑧ **그라데이션 넣기**: 글씨, 네모 박스에 그라데이션을 넣기 위해, 각 레이어 위 레이어를 만들어 '**클리핑 마스크**'를 적용합니다. 에어브러시 탭의 '**소프트브러시**'로 색상을 조절하면서 글씨와 네모 박스 부분을 부드럽게 색칠합니다.

⑨ **옷 질감 브러시 선택**: 티셔츠의 면 질감을 살려줄 브러시를 고릅니다. 유기물 탭의 '**면직물 브러시**'를 추천합니다.

⑩ **티셔츠 질감 살리기**: 두 그라데이션 레이어 위에 각각 질감 레이어를 생성하고 '**곱하기**' 모드를 적용합니다. 면 티셔츠 질감을 살리기 위해 어두운 색의 '**면직물 브러시**'로 글씨와 그림 부분을 채색합니다. 질감이 들어있어 채색 시 표면이 우둘투둘해 보이는 특징이 있습니다.

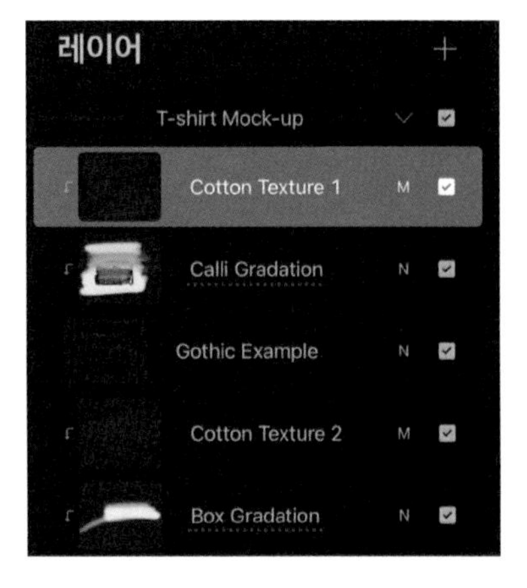

메탈 스티커

메탈 소재 모던 캘리그라피 스티커를 디자인 합니다. 메탈 질감 사진을 글씨에 바로 입혀도 되지만, 이번에는 색상과 명도 조절을 통해 메탈 느낌을 표현 해 보아요. 캘리그라피 글씨에 적당히 플러리싱을 붙여 꾸민 뒤, 작은 도형 일러스트를 주변에 그려 넣어 완성해 보세요.

01. 스티커 목업 만들기

◉ Setting

- 브러시 및 팔레트: 모던 캘리, 소프트 브러시, Metal_Sticker.swatches
- 캔버스 크기: 354×472px (30×40mm)
- 해상도: 300DPI
- 컬러모드: 인쇄용 CMYK (목업파일은 RGB)

① **글귀 브러시 선택**: 메탈 글씨 스티커 디자인에 쓰일 브러시를 고릅니다. '**모던 캘리 브러시**'를 선택합니다.

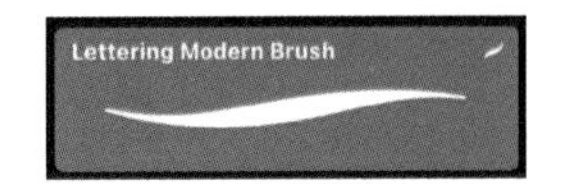

② **명언 글귀 쓰기**: '오직 좋은 기운만'을 뜻하는 영어 명언 'Good Vibes Only.'를 모던 캘리체로 써 봅니다. 검정색의 모던 캘리 브러시로 한 글자 씩 필압을 살려 적습니다. 글자 사이 빈 공간은 간단한 그림으로 채워 넣습니다.

③ **그룹 레이어 생성**: 검정색 글씨 레이어 색상을 회색으로 변경 후, 검정 바탕의 배경 레이어를 만듭니다. 두 레이어를 함께 하나의 그룹으로 묶습니다. 각각의 레이어를 왼쪽에서 오른쪽으로 밀었을 때 나타나는 오른쪽 상단 '**그룹**' 버튼을 터치하면 됩니다.

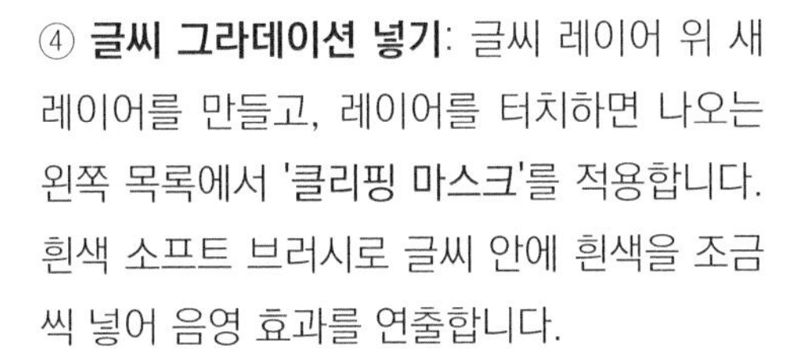

④ **글씨 그라데이션 넣기**: 글씨 레이어 위 새 레이어를 만들고, 레이어를 터치하면 나오는 왼쪽 목록에서 '**클리핑 마스크**'를 적용합니다. 흰색 소프트 브러시로 글씨 안에 흰색을 조금씩 넣어 음영 효과를 연출합니다.

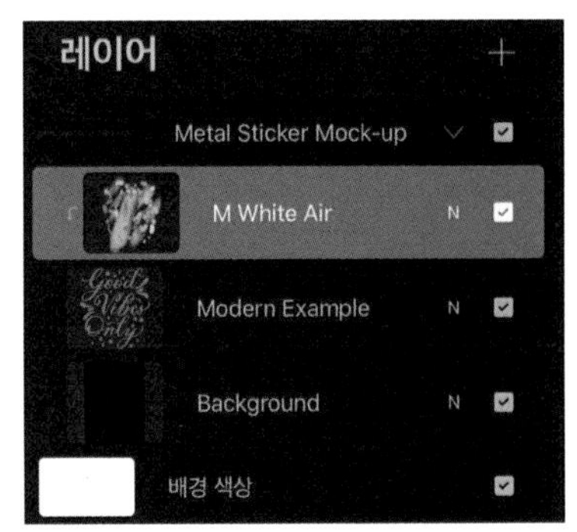

⑤ **테두리 브러시 선택**: 글씨 테두리 라인을 강조하기 위해 '소프트 브러시'를 선택합니다. 가장 작은 크기로 조절하여 사용합니다.

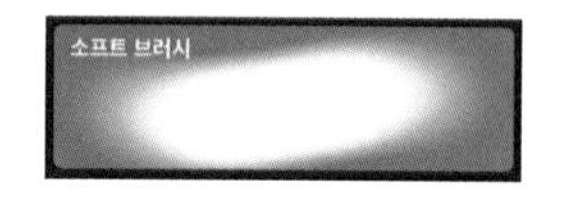

⑥ **글씨에 흰색 라인 추가**: 글씨가 더 뚜렷하게 보이도록 흰색 선을 넣을 레이어를 생성합니다. 흰색 '소프트 브러시'로 글씨 테두리 부분을 따라서 그립니다. 글씨 주변 작은 그림 테두리 부분에도 똑같이 선을 남깁니다.

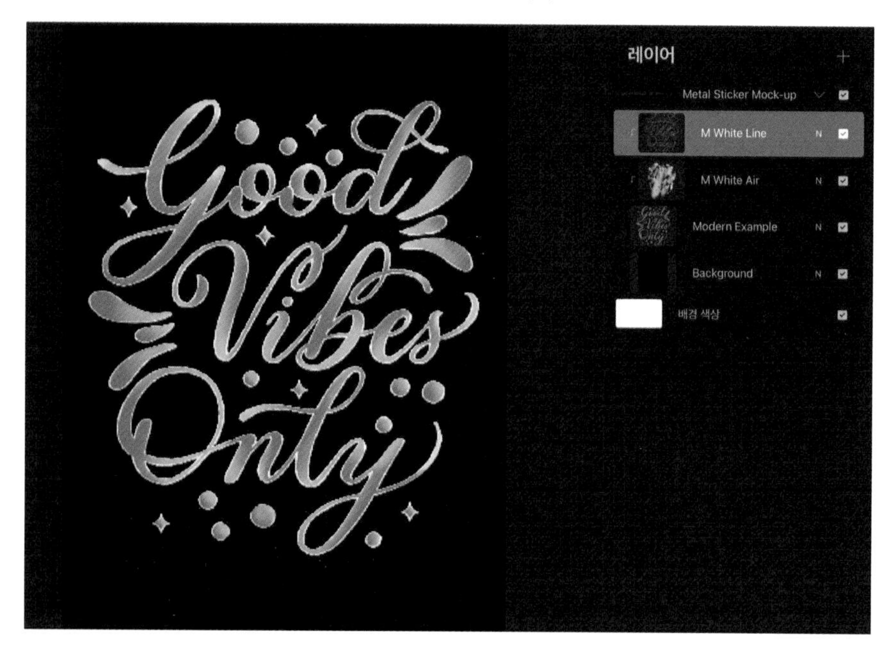

⑦ **라인을 흐리게 하기**: 흰색 테두리 라인이 글씨와 자연스럽게 보이도록 흐림 효과를 넣습니다. 조정탭의 '가우시안 흐림 효과'를 눌러 효과를 약하게 적용합니다. 흐림 효과를 강하게 넣을 시, 흰색 테두리 라인이 잘 보이지 않을 수 있으므로 주의합니다.

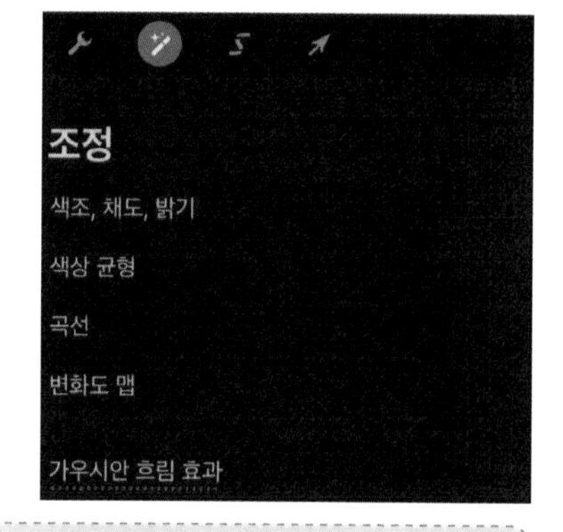

◉ Tip

그라데이션 글씨에 '알파 채널 잠금' 후 색을 채우면 음영이 있지만, '클리핑 마스크' 에서는 아닙니다.

⑧ **흐린 글씨 레이어 추가**: 흰색 테두리 선의 밝기를 조금 낮추기 위해 밝은 회색으로 색상을 변경하고 레이어 이름을 고칩니다. 필요에 따라, 밝은 회색의 '**소프트 브러시**'로 음영이 살짝 다른 라인 레이어를 추가할 수도 있습니다.

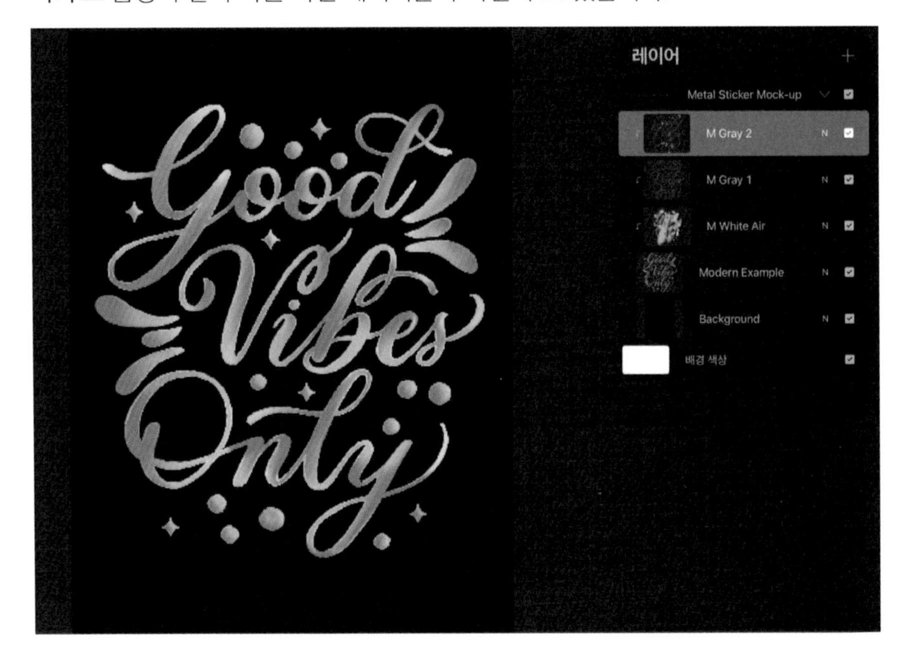

⑨ **레이어 병합 및 색 변경**: 클리핑 마스크가 적용된 위 레이어에서 아래 레이어 쪽으로 하나씩 레이어 병합을 합니다. 배경색 외 모두 병합 후, 글씨 색상을 변경할 준비를 합니다. 레이어 제목을 클릭하여 왼쪽 목록의 '**알파 채널 잠금**'을 선택하고 팔레트에서 분홍색을 글씨에 끌어 당겨 완성합니다.

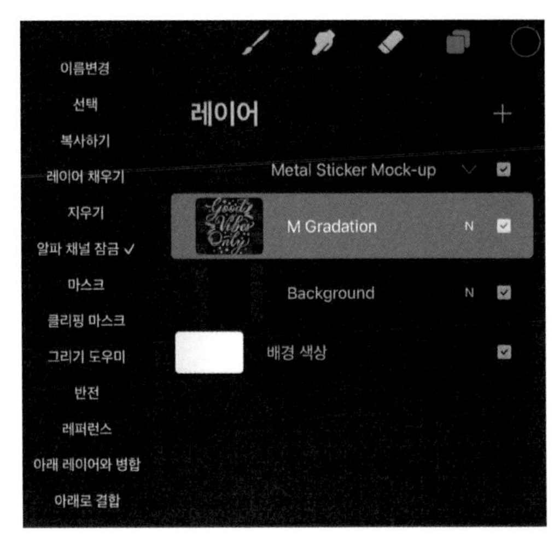

◉ 메탈 스티커에 어울릴 영어 명언 써 보기

메탈 스티커에 쓰일 수 있는 짧은 영어 명언들을 찾아 모던 캘리그라피 연습을 해 보세요.

마블 폰 배경화면

좋아하는 글귀를 넣어 디지털 폰 배경화면을 만듭니다. 가지고 있는 휴대폰 화면 비율에 맞게 캔버스 크기를 조절해 보세요. 대리석 (Marble) 모양의 배경을 그린 뒤, 카퍼플레이트 캘리체로 명언을 멋지게 써 봅니다. 플러리싱을 글씨에 적절히 붙여가며 작품을 완성합니다.

01. 폰 배경화면 만들기

◉ Setting

- 브러시 및 팔레트: 카퍼플레이트, 유성 페인트, 라이트 펜, Marble_Phone_Background.swatches
- 캔버스 크기: 1170×2532px (413×893mm)
- 해상도: 72DPI
- 컬러모드: 웹용 RGB

① **배경 레이어 생성**: 배경이 될 새 레이어를 만들고 오렌지 색으로 채웁니다. **'배경 색상'** 레이어에서 색을 변경해도 됩니다.

② **글귀 브러시 선택**: 폰 배경화면 문구를 쓸 브러시를 선택합니다. **'카퍼플레이트 브러시'**를 고릅니다.

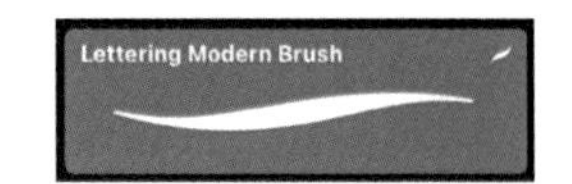

③ **명언 글귀 쓰기**: 폰 배경화면에 어울릴 다음의 긍정적인 메시지를 카퍼플레이트체로 적습니다. 'What is coming is better than what is gone.'는 '지나간 것보다 앞으로 다가올 것이 더 낫다.'라는 뜻입니다. 의미 단위로 단어를 나누어 보기 좋게 세로 방향으로 배열합니다.

④ **배경 브러시 선택**: 폰 배경 무늬를 넣을 브러시를 찾습니다. 페인팅 탭의 **'유성 페인트'** 브러시를 선택합니다.

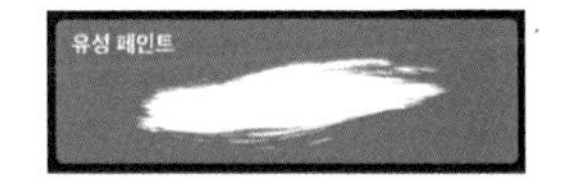

⑤ **배경 무늬 그리기**: 배경 무늬 레이어를 새로 생성합니다. 파스텔톤 오렌지 색 **'유성 페인트'** 브러시로 사선 방향의 직선을 여러 개 그립니다. 팔레트에 있는 파스텔 계열 빨강, 파랑, 노랑 색상을 골라 이 과정을 3번 더 반복합니다.

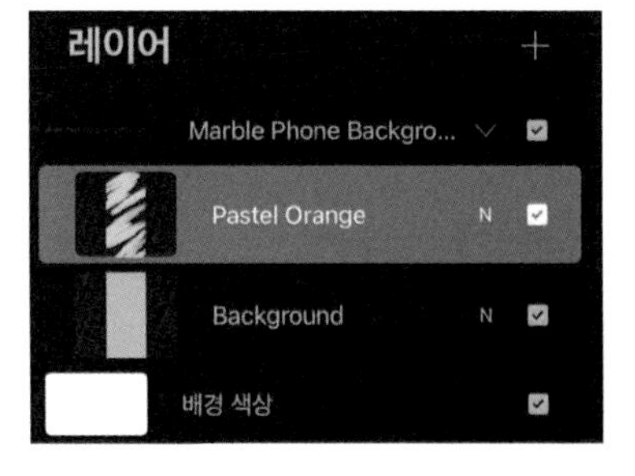

⑥ **무늬 변형 장치**: 흰색 조정 탭의 '픽셀 유동화'에 들어가 무늬의 형태에 변화를 줍니다. 배경화면 레이어를 제외한, 4개의 무늬 레이어를 변형시킵니다.

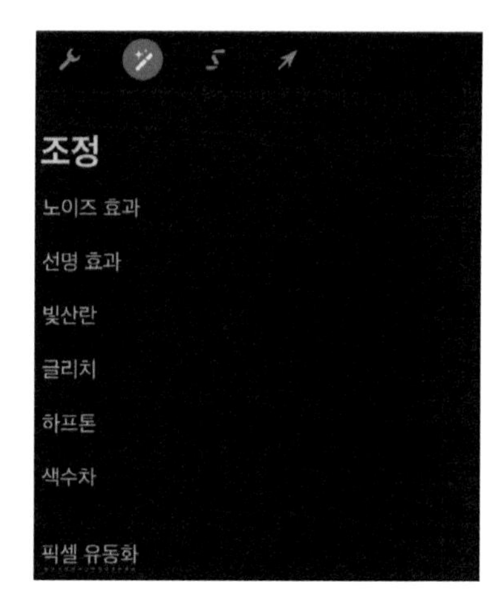

⑦ **픽셀 유동화 설정값**: 파스텔 오렌지 레이어를 선택하여 픽셀 유동화를 적용합니다. 하단의 '크기', '압력', '왜곡', '탄력' 설정값을 조정하고 펜슬로 눌러, 화면과 같은 라인이 나오게 합니다. '밀기', '비틀기', '꼬집기' 탭 위주로 값을 조정합니다.

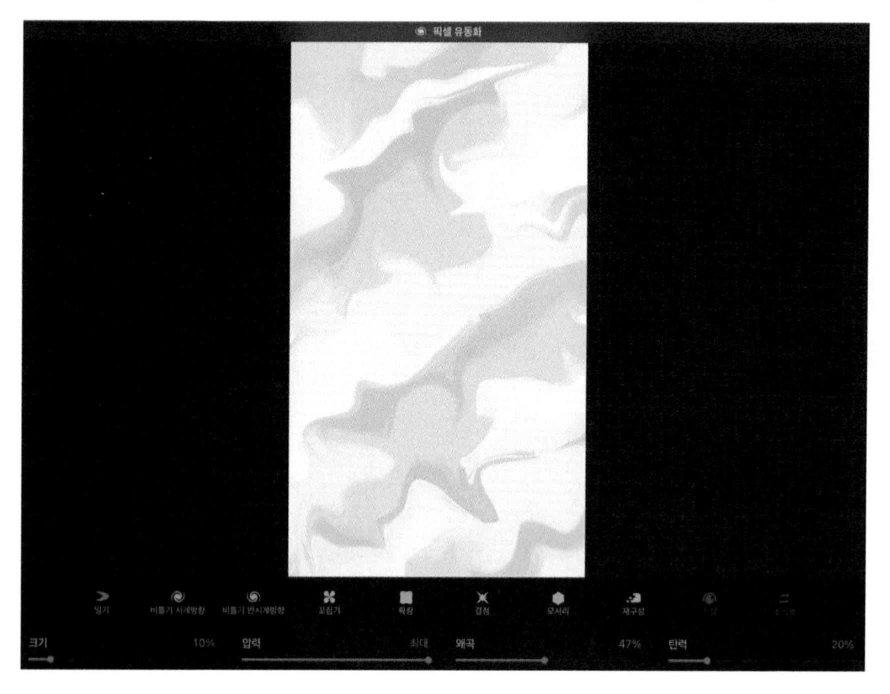

◉ Tip

유동화 항목 중 '**결정**'은 뾰족한 모양으로, '**재구성**'은 변형된 형태가 다시 제자리로 돌아오게 합니다.

⑧ **배경 무늬 다듬기**: 파스텔 오렌지 레이어 외 나머지 레이어에도 '**픽셀 유동화**'를 적용합니다. 대리석 느낌이 나도록, 라인의 일부분을 시계 또는 반시계 방향으로 회전시키거나 밀고 꼬집으며 모양을 만듭니다. 레이어 체크박스를 하나씩 터치하여, 라인이 어색해 보이는 부분을 하나씩 다듬습니다.

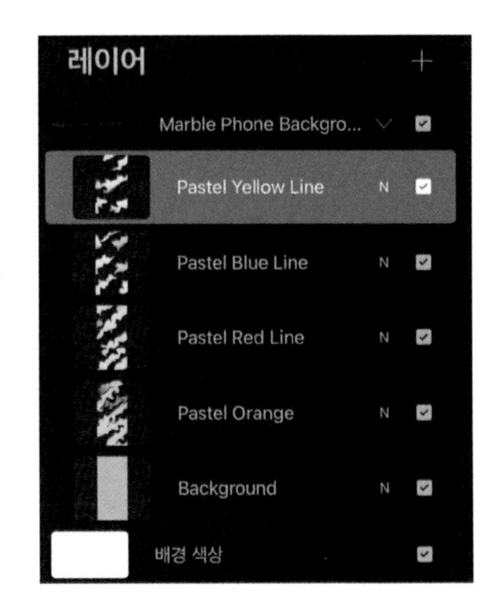

② **강조 브러시 선택**: 대리석 무늬에 밝은 색상을 넣어 라인을 강조합니다. 흰색 '**라이트 펜**' 브러시를 선택합니다.

⑨ **글씨 색상 변경 및 마무리**: 글씨 레이어 색상을 검은색에서 청록색으로 변경합니다. 글씨 레이어를 터치하여 왼쪽 목록의 '**알파 채널 잠금**'을 클릭하고, 변경할 색상을 펜슬로 글씨 쪽에 끌어 당깁니다. 마지막으로, 흰색 라인 레이어에도 '**픽셀 유동화**'를 적용하여 자연스러운 마블 무늬를 생성합니다.

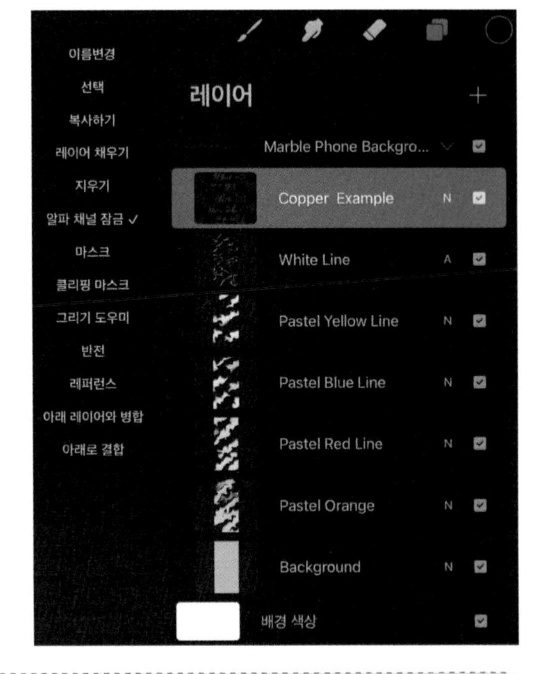

◉ 커스텀 영문 폰 배경화면 만들기

좋아하는 영문 글귀를 카퍼플레이트 체로 쓰고, 폰 배경화면으로 만들어 보세요.

초크 메뉴판

분필 질감의 흰색 브러시로 초크 메뉴판을 제작 해 봅니다. 칠판 이미지를 다운로드 한 뒤, 파스텔 브러시로 메뉴판에 들어갈 음식 이름들을 모던 캘리그라피체로 씁니다. 글씨 주변으로 간단한 일러스트 또는 곡선과 점을 반복해서 그려 넣어, 메뉴판 내용을 강조해 보아요.

01. 메뉴판 디자인하기

◉ Setting

- 브러시: 레터링 파스텔 브러시, HwiEgrid Set (유료)
- 캔버스 크기: 3508×4961px (A3 297×420mm)
- 해상도: 300DPI
- 컬러모드: 인쇄용 CMYK (목업파일은 RGB)

① **질감 레이어 생성**: 초크 텍스처 이미지를 동작탭의 [추가]→[파일 삽입하기]에서 불러옵니다. 질감 레이어를 '**곱하기**' 모드로 적용 후, 왼쪽으로 당겨 잠금 설정을 합니다.

② **디자인 브러시 선택**: 초크 질감 배경에 어울리는 브러시를 고릅니다. '**파스텔 브러시**'를 추천합니다.

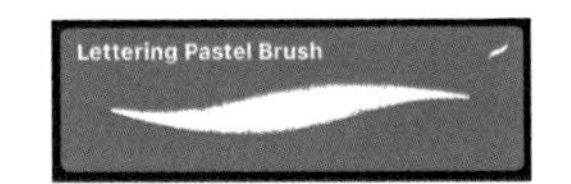

③ **프레임 그리기**: 흰색 파스텔 브러시로 프레임을 그립니다. 깔끔한 라인으로 그리기 위해, 동작탭의 [캔버스]→[그리기 가이드 켜기]→[그리기 가이드 편집]에 들어가 '**2D 격자**'를 적용합니다. 원형 모서리 부분의 경우, 원형을 그린 상태에서 펜슬을 떼지 않고 잠시 멈추면 선이 예쁘게 됩니다. 바탕에 가이드 선은 그리기 가이드를 끄면 없어집니다

③ **가이드 브러시 선택**: 메뉴판 글씨를 쓰기 전에 글씨 구도를 잡아 줄 그리드 브러시를 선택합니다. 'HwiEgrid Set' (유료) 브러시 목록에서 5개 정도 골라 각각의 그리드를 배치합니다. 브러시 크기를 크게 한 상태에서 도장찍 듯 찍은 후, 그리드를 남깁니다.

◉ Tip

HwiEgrid Set는 유료 브러시로, 무료 Hwihwa Egrid 브러시 포함 다양한 그리드가 들어 있습니다.

④ **그리드 배치하기**: 그리드 별로 별도의 레이어를 만들어 그룹으로 묶습니다. 왼쪽 상단 화살표를 터치한 후, 펜슬을 움직였을 때 나타나는 중심 선에 그리드를 위치 시킵니다. 사용한 그리드는 'Flow B, Straight, Butterfly, Slanted Stair'입니다.

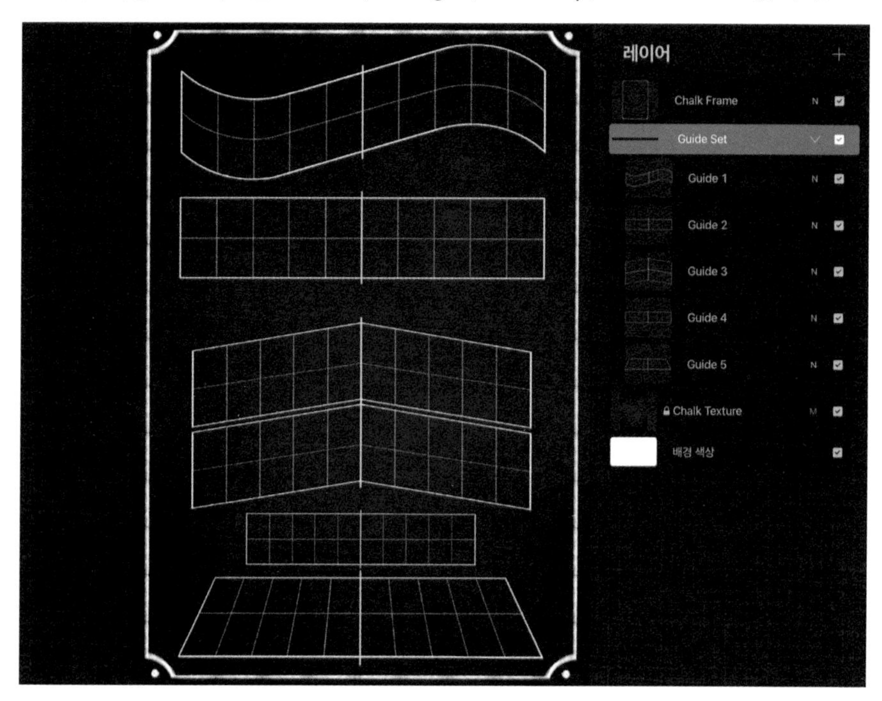

⑤ **메뉴 이름 쓰기**: 흰색 파스텔 브러시로 메뉴 이름을 모던 캘리그라피체로 써내려 갑니다. 물결 라인 위쪽 가이드에 'Today's Specials'라는 **'제목'**을 씁니다. 그 아래 3개의 가이드 라인에는 메뉴 이름들을 하나씩 씁니다. 'Saturday Brunch, Kimchi Panini + Potato Soup'입니다. 메뉴판 아래쪽의 작은 가이드에는 'Dessert'라는 **'소제목'**을 쓰고, 바로 아래에 'Rice cake'이라는 음식 이름을 씁니다.

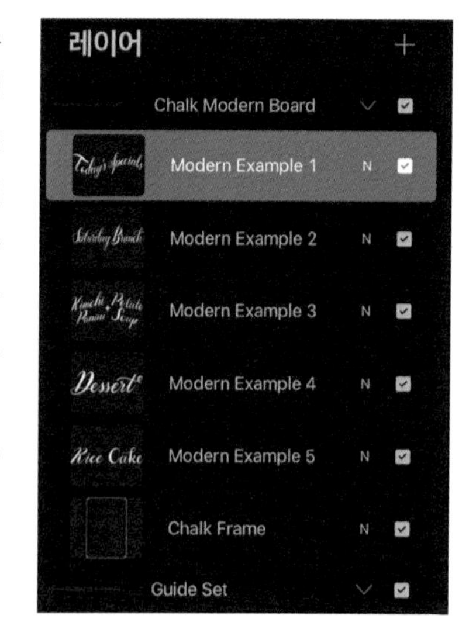

⑥ **메뉴판 꾸미기**: 메뉴판 글씨 주변으로 작은 일러스트를 여러 개 그려 넣어 꾸밉니다. '제목'과 '소제목'은 굵은 선 또는 두 줄로 눈에 띄게 그립니다. 메뉴 이름 주변으로 비어 있는 부분은 깃발, 삼각형, 물결 라인, 리본 그림 등을 그려 넣습니다.

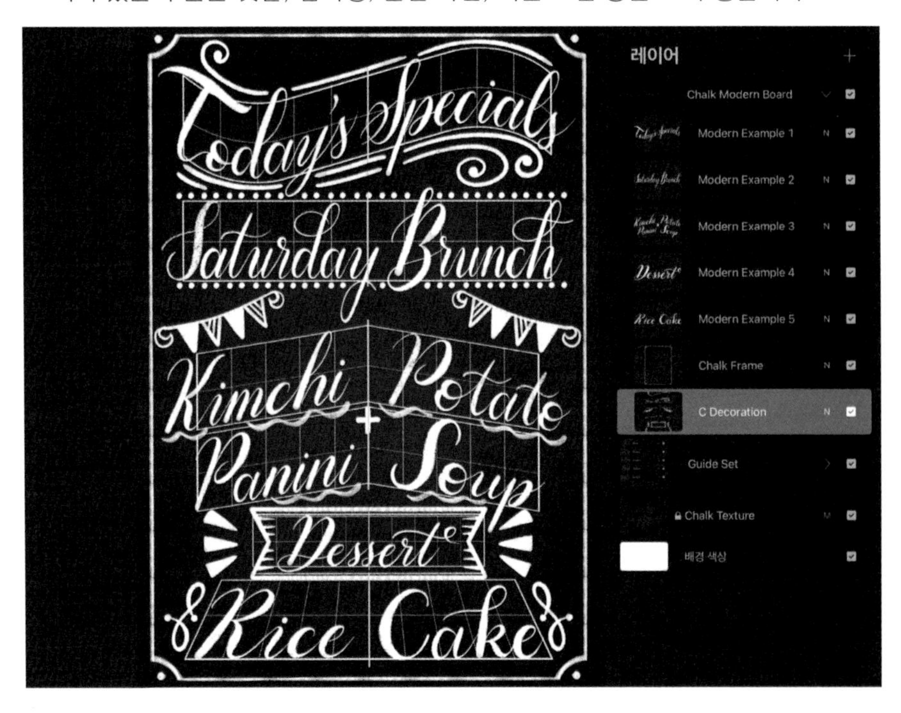

⑦ **그룹 구분 및 마무리**: 초크 메뉴판을 디자인한 그룹 레이어와 가이드 라인 레이어, 초크 텍스처 레이어를 구분합니다. 메뉴판 꾸미기 작업이 끝난 뒤에는 가이드 라인 레이어의 체크 박스를 해제합니다. 메뉴판 그룹 안 레이어는 전부 체크 표시를 하여 마무리 합니다.

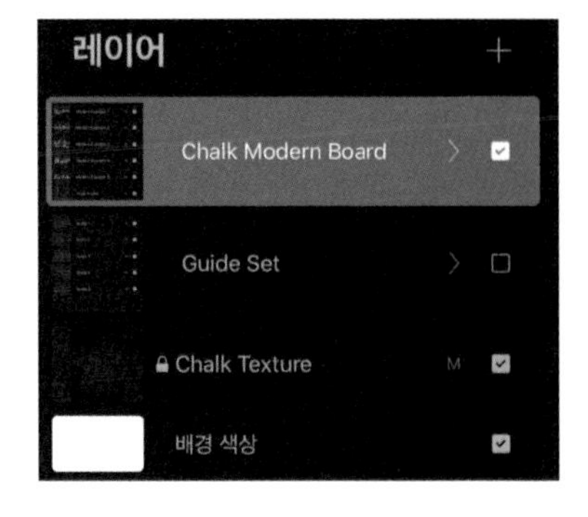

◉ 음식 이름을 영문캘리그라피로 써 보기

친숙한 음식 이름 목록을 영어로 작성 하고, 이를 모던캘리그라피 체로 적어 보세요.

이니셜 스마트톡

몽환적인 우주 배경의 스마트톡에 영문 이니셜을 넣어 꾸밉니다. 모노라인 캘리그라피 스타일로 이니셜을 쓰고 별도로 휴대폰 뒷면 목업 화면을 그립니다. 이니셜을 넣은 배경화면을 목업 스마트톡 크기에 맞춰 조절해보세요. 제작한 굿즈를 미리 시연할 때 도움이 될 거예요.

01. 스마트톡 목업 만들기

◉ Setting

- 브러시 및 팔레트: 모노라인 캘리, 수채화, 소프트 브러시, Initial_Popsocket.swatches
- 캔버스 크기: 496×496px (42×42mm)
- 해상도: 300DPI
- 컬러모드: 인쇄용 CMYK (목업파일은 RGB)

① **디자인 브러시 선택**: 스마트톡 글씨를 디자인 할 브러시를 고릅니다. 필압의 변화가 없는 '모노라인 브러시'를 선택합니다.

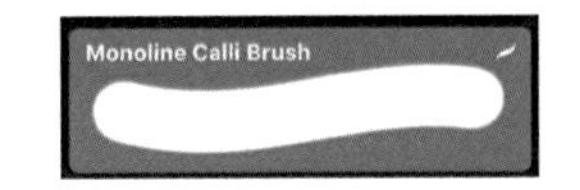

② **이니셜 글씨 쓰기**: 분홍색 모노라인 브러시로 글씨를 씁니다. 알파벳에 플러리싱을 붙이고 점으로 채워 예쁘게 꾸밉니다. 레이어를 하나 더 복제하여 그림자 레이어를 만듭니다. 검은색으로 변경 후, 옆으로 살짝 옮기고 조정탭의 '가우시안 흐림 효과'를 넣습니다.

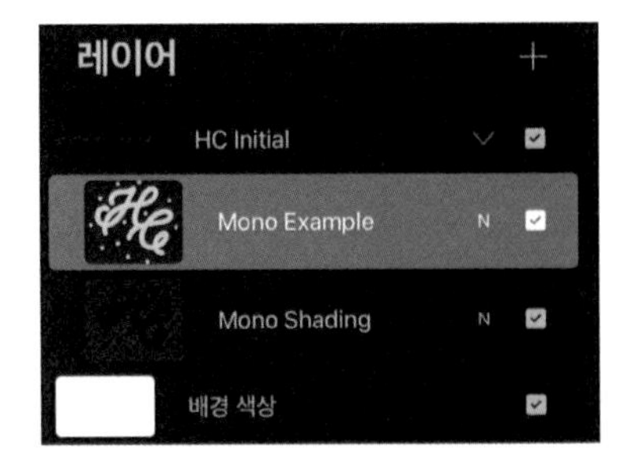

③ **글씨 배경 브러시 선택**: 수채 스타일의 스마트톡 배경을 디자인합니다. 페인팅 탭의 '수채화 브러시'를 선택합니다.

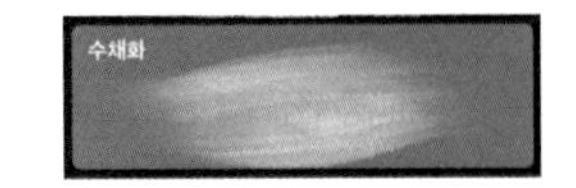

④ **수채 그라데이션 배경 생성**: 글씨 레이어 아래 새 레이어를 두 개 만듭니다. 맨 아래의 레이어에 스마트톡의 원형 테두리를 크게 그립니다. 그 위의 레이어에는 '수채화 브러시'로 여러 색을 겹쳐 칠하여 그라데이션 배경을 만듭니다.

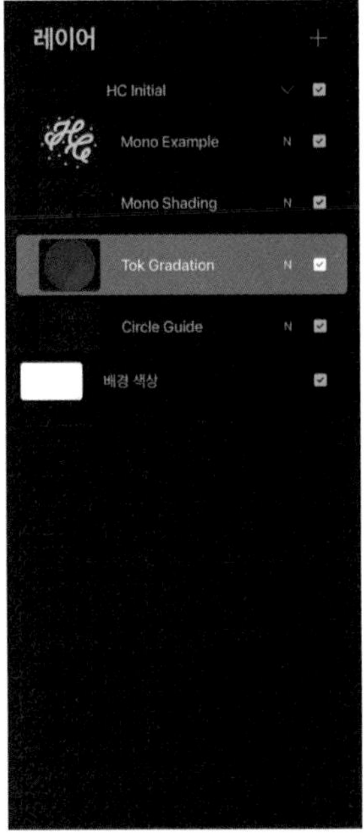

⑤ **폰 일러스트 그리기**: 배경 레이어를 노란색으로 채우고 그 위에 새 레이어를 생성합니다. 세로 방향 직사각형을 그리고, 모서리 부분을 살짝 지워 하늘색 둥근 형태로 디자인합니다. 아래 레이어에 네모를 복사한 뒤, 회색으로 채워 그림자 레이어를 만듭니다. 조정탭에서 '**가우시안 흐림 효과**'를 적용해주면 자연스러운 그림자 효과를 낼 수 있습니다.

⑥ **광 브러시 선택**: 폰 테두리 부분의 광을 표현할 브러시를 찾습니다. 에어브러시 탭의 '소프트 브러시'를 선택합니다.

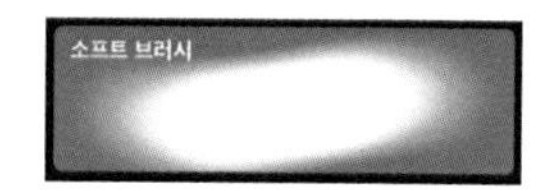

⑦ **폰 케이스 테두리 광 넣기**: 흰색 소프트 브러시로 폰 케이스 테두리 부분을 연하게 색칠합니다. 케이스 광을 표현할 것이므로 레이어를 터치하고 '**선형 라이트**' 모드를 적용합니다. 흰색 광 내부에 연한 회색으로 그림자를 살짝 넣어 입체감을 줍니다.

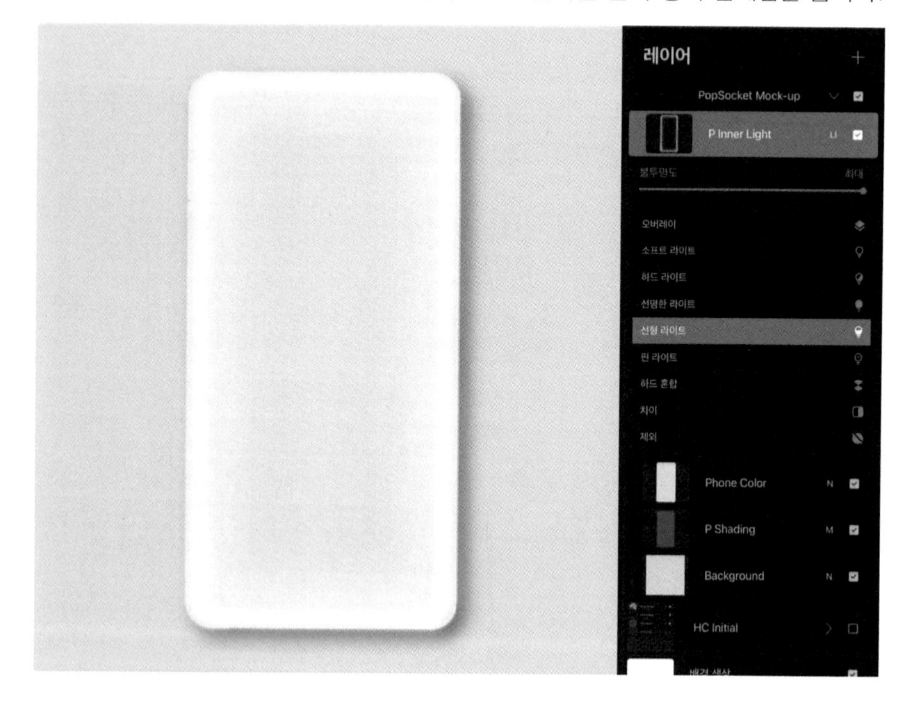

⑧ **스마트톡 디자인 하기**: 폰 케이스 왼쪽 상단 부분에 카메라 그림을 넣습니다. 케이스 디자인과 마찬가지로, '**소프트 브러시**'로 카메라 주변부에 음영을 넣습니다. 케이스 중앙에는 원형 스마트톡을 그리고 그림자를 넣어 리얼한 효과를 냅니다.

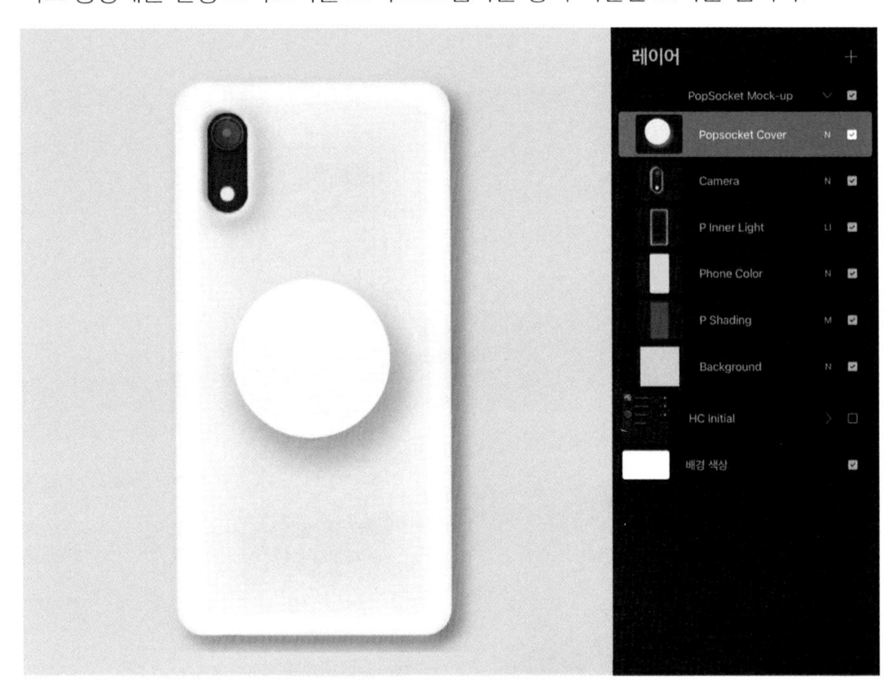

⑨ **스마트톡에 글씨 넣기 및 완성**: HC Initial 그룹에 있는 수채 모노라인 디자인을 스마트톡 목업 그룹 안에 가져옵니다. 스마트톡 사이즈에 맞춰 수채 글씨 배경 디자인을 위치시킵니다. 마지막으로 맨 위에 새 레이어를 생성하여 스마트톡 플라스틱 테두리를 '**소프트 브러시**'로 그립니다. 어두운 색과 흰색을 사용하여 음영을 넣으면 완성입니다.

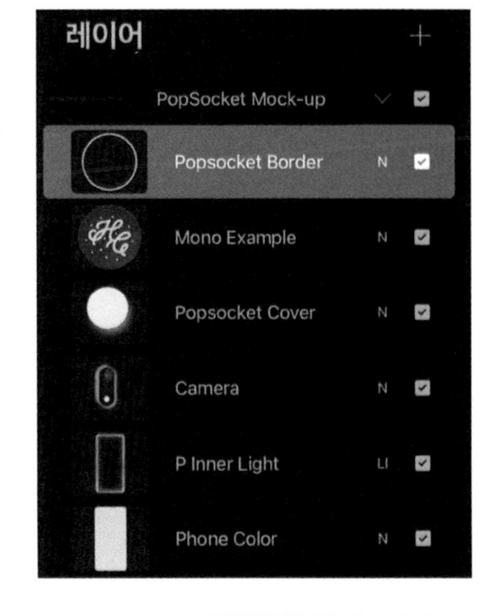

◉ 나의 이름으로 영문 이니셜 스마트톡 만들기

본인의 이름으로 영문 이니셜을 모노라인 체로 쓰고 스마트톡을 디자인 해 보세요.

3D 포스터

3D느낌 캘리그라피 글씨를 넣어 축제 홍보 포스터를 만듭니다. A2 캔버스에 모노라인, 카퍼플레이트, 고딕 캘리그라피 글씨를 쓰고, 글씨의 그림자 부분을 원본 글씨와 연결하여 입체느낌이 나게 해요. 홍보 주제와 관련된 그림들을 여백에 그려 넣어 센스 있게 완성해 봅니다.

01. 포스터 디자인하기

◉ Setting

- 브러시 및 팔레트: 모노라인, 카퍼플레이트, 고딕 캘리브러시, 3D_Poster.swatches
- 캔버스 크기: 5008×7063px (A2 424×598mm)
- 해상도: 300DPI
- 컬러모드: 인쇄용 CMYK

① **포스터 배경 만들기**: 밝은 색감의 포스터 배경을 제작 해 봅니다. 팔레트에서 연노란 색을 화면으로 끌어 당겨 기본 배경 레이어를 생성합니다. 이어서 새 레이어를 두 개 만듭니다. 위 아래 삼각형 형태의 도형을 그린 후, 각각 다른 색을 채워 넣습니다.

② **제목 브러시 선택**: 포스터 제목을 눈에 띄게 할 브러시를 고릅니다. 두꺼운 굵기의 '**모노라인 브러시**'를 추천합니다.

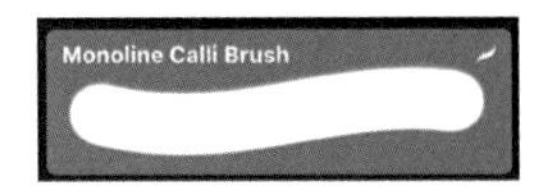

③ **포스터 제목 쓰기**: 연보라색 모노라인 브러시를 적당히 크게 하여 여름 음악 축제 포스터 제목을 씁니다. 플러리싱을 살린 모노라인 캘리그라피로, 'Summer Music Festival' 문구를 보기 좋게 씁니다. 각 단어의 첫 글자는 대문자로 적습니다.

④ **기타 정보 브러시 선택**: 포스터 주제와 관련하여 구체적인 정보를 표시할 브러시를 고릅니다. '카퍼플레이트 브러시'와 '고딕 브러시'를 선택합니다.

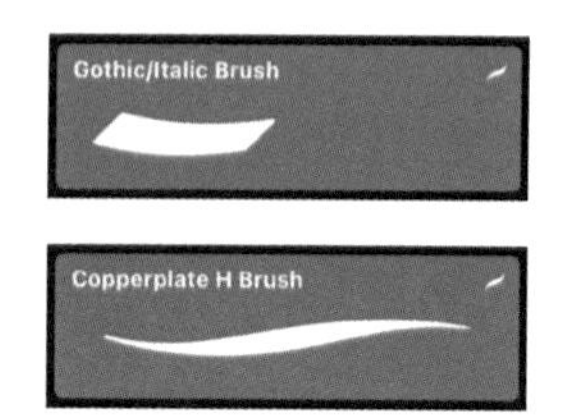

⑤ **소제목, 음악 카테고리 정보 쓰기**: '카퍼플레이트 브러시'로 제목을 설명 해 줄 소제목, 'All That Jazz'를 씁니다. 오른쪽 상단 작은 네모 안에는 **'고딕 브러시'**로 'Live Jazz'라는 공연 음악 종류를 적고, 박스 테두리를 깔끔한 선으로 꾸밉니다.

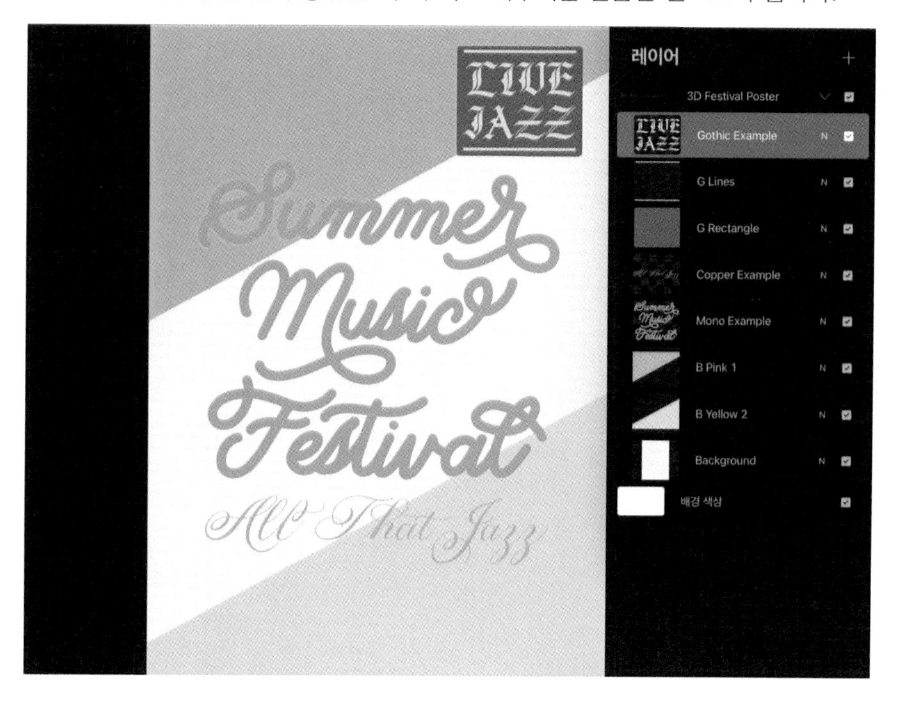

⑥ **글씨에 그림자 넣기**: 캘리그라피 글씨 레이어를 하나 더 복사하여 어두운 색으로 채웁니다. 그림자가 될 레이어이므로 복사한 글씨를 살짝 옆으로 옮깁니다. 고딕 글씨 외에 나머지 글씨도 그림자 레이어를 별도로 만듭니다.

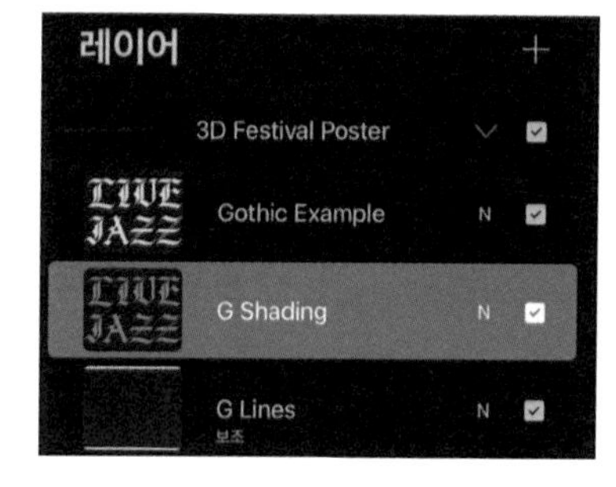

⑦ **그림자 글씨 완성하기**: 그림자 레이어 위로 새 레이어를 만듭니다. 옆으로 이동시킨 그림자 레이어와 글씨 레이어 사이의 빈 공간을 그림자 색으로 그려 이어줍니다. 글씨체에 맞는 브러시로 사이 사이를 자연스럽게 메꿔 글자에 입체감을 냅니다.

⑧ **일러스트 넣어 마무리 하기**: 포스터 배경에 작은 그림들을 그려 꾸밉니다. **'모노라인 브러시'**로 간단한 손그림 스타일의 일러스트를 그릴 수 있습니다. 음악 포스터에 어울리는 음표 일러스트를 작게 그려, 비어 보이는 배경에 넣습니다.

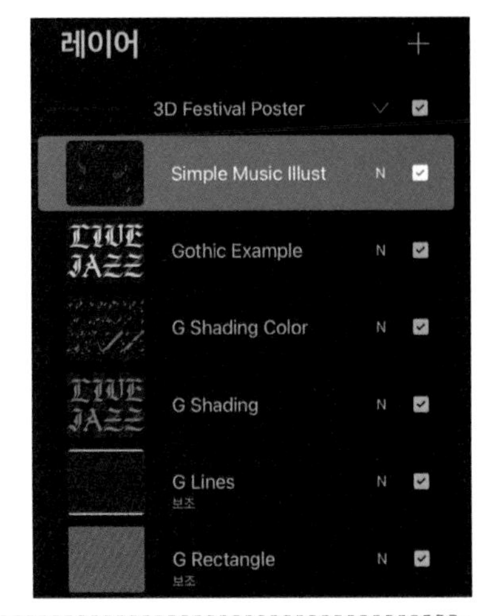

◉ 우리 동네 축제 홍보 포스터 제작하기

모노라인, 카퍼플레이트, 고딕 캘리 글씨체를 활용하여 홍보하고 싶은 축제 포스터를 제작 해 보세요.

크리스마스 카드 GIF

움직이는 글씨가 매력적인, GIF 영상 크리스 마스 카드를 디자인 합니다. 크리스마스 축하 메시지를 카퍼플레이트 캘리그라피로 쓰고 트리 모양과 같이 배치 해 보세요. 빛나는 일러스트와 글씨에 애니메이션 효과를 적용하여, 생동감 있는 크리스마스 트리 영상을 제작합니다.

01. GIF 카드 영상 만들기

◉ Setting

- 브러시 및 팔레트: 카퍼플레이트, 소프트, 라이트 (펜) 브러시, Christmas_Tree_Card.swatches
- 캔버스 크기: 1488×2079px (126× 176mm)
- 해상도: 300DPI
- 컬러모드: 인쇄용 CMYK (목업파일은 RGB)

① **글귀 브러시 선택**: 크리스마스 카드 글귀를 디자인 할 브러시를 고릅니다. '**카퍼플레이트 브러시**'를 선택합니다.

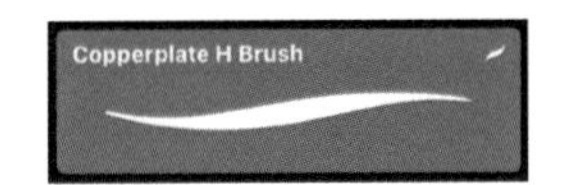

② **카드 글귀 쓰기**: 초록색 배경 레이어를 만들고 그 위에 글씨를 넣을 새 레이어를 생성합니다. 카퍼플레이트 브러시를 적당한 크기로 조절하여 크리스마스 축하 문구를 씁니다. 다음의 'We Wish You a Merry Christmas.' 문장을 쓸 때, 단어 첫 글자를 대문자로 적어 볼륨감을 줍니다. 비어있는 공간은 플러리싱을 추가해 트리 모양처럼 보이게 합니다.

③ **글씨 레이어 생성**: 새 레이어를 두 개 만들고, 'We Wish You a Merry Christmas.' 문장을 반복하여 씁니다. 첫번째 레이어에 썼던 글씨 바로 위에 똑같은 문구를 쓰면 됩니다. 글씨를 쉽게 따라 쓰기 위해, 첫번째 레이어 오른쪽 알파벳을 클릭 후 나타나는 불투명도 바를 아래 방향에 맞춥니다. 첫번째 레이어 글씨 불투명도가 흐려진 상태에서 새 레이어에 해당 문구를 씁니다.

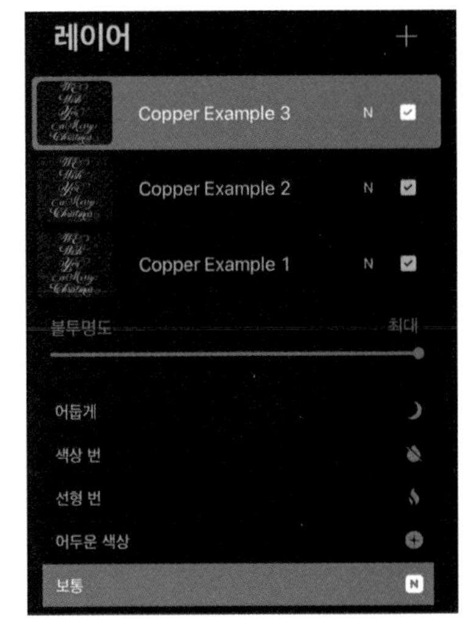

④ **장식 브러시 선택**: 카드 글씨 배경을 꾸밀 브러시를 고릅니다. 빛 탭의 '**라이트 브러시**'를 선택합니다.

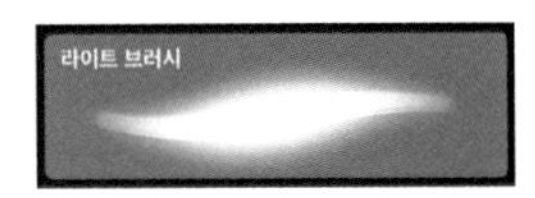

⑤ **트리 장식볼 그리기**: 글씨 주변에 장식볼을 그려 꾸밉니다. 4개의 레이어를 만들고, 라이트 브러시로 장식볼을 그립니다. 장식볼에 사용된 색상은 '파랑, 빨강, 오렌지, 보라' 입니다. 나머지 글씨 레이어도 장식볼 레이어와 함께 그룹짓습니다.

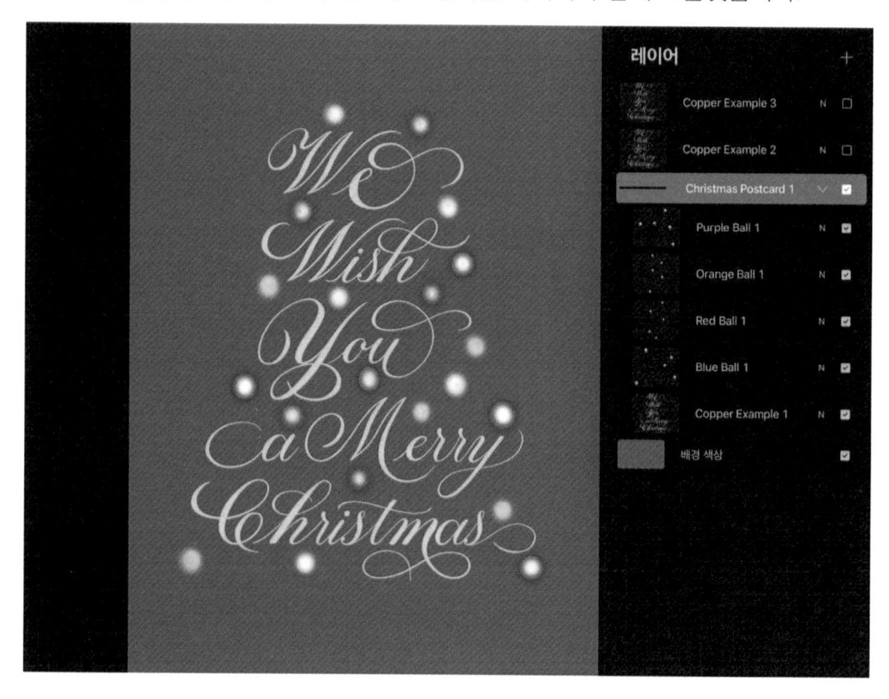

⑥ **트리 별 브러시 선택**: 글씨 트리의 포인트가 될 별 브러시를 고릅니다. 빛 효과가 나는 **'라이트 펜 브러시'**를 선택합니다.

⑦ **트리 별 그리기**: 장식볼 레이어 위로 새 레이어를 만들어, 트리 별을 글씨 위 쪽에 그립니다. **'모노라인 브러시'**로 노란색 별을 그리고, 주황색 **'소프트 브러시'**로 별에 그라데이션 효과를 줍니다. 새 레이어를 하나 더 만들어 **'라이트 펜'**으로 빛나는 별 테두리 선을 만듭니다. 다른 그룹 레이어에도 별을 그려 넣습니다. 별 색상은 그룹별로 다르게 합니다.

⑧ **애니메이션 효과 주기**: 글씨가 움직일 수 있게 애니메이션 효과를 적용합니다. 동작 탭에서 [캔버스]→[애니메이션어시스트] 스위치를 켭니다.

⑨ **애니메이션 설정 값 및 완성**: 하단 설정 버튼을 누르고 **'핑퐁'**을 터치하여 통통튀는 효과를 냅니다. **'초당 프레임'**은 숫자를 올릴 수록 애니메이션 속도가 빨라질 수 있게 합니다. **'어니언 스킨 프레임'**은 프레임 앞 뒤로 남아있는 프레임 잔상으로 '최대'로 설정, **'스킨 불투명도'**는 적당한 수치로 하여 이미지의 자연스러운 움직임을 만듭니다. 마지막으로, 전체 그룹을 체크하고 **'재생'**을 눌러 영상을 확인합니다.

◉ 새해 카드 GIF 만들기

새해 인사 글귀 'Happy New Year'를 카퍼플레이트 캘리그라피로 쓰고, GIF 카드를 만들어 보세요.

캘리 글씨 벡터화

나의 손글씨를 일러스트레이터 프로그램으로 벡터화 하여 디자인 소스를 만듭니다. 프로크리에이트에서 제작한 캘리그라피 이미지를 아이패드용 일러스트레이터 프로그램으로 옮겨 벡터 파일로 제작 해 봅니다. 벡터화된 캘리 글씨를 다양한 디자인 영역에 활용 해 보세요.

01. 캘리그라피 이미지 제작

① **배경 레이어 생성**: 프로크리에이트 우측의 색상 원을 펜슬로 화면 쪽을 향해 끌어 당겨 배경 레이어를 만듭니다.

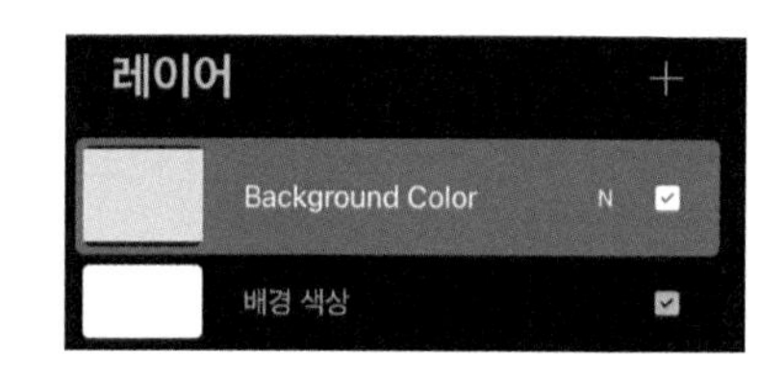

② **디자인 브러시 선택**: 질감이 살아있는 브러시를 고릅니다. 매끈하지 않은 표면이 특징인 '파스텔 브러시'를 추천합니다.

③ **배경이 있는 캘리 이미지 만들기**: 새 레이어를 배경 레이어 위에 하나 더 만들어 'Favorite'을 모던캘리그라피 체로 씁니다. 플러리싱을 살려 부드럽게 적습니다.

④ **이미지 파일 형식 지정**: 동작 탭에서 [공유]→[PNG 또는 JPEG]를 눌러 원하는 이미지 파일 형식을 선택합니다. 배경을 포함한 JPEG 형식으로 저장 해 봅니다. 투명 배경에 글씨 이미지로만 저장을 하고 싶다면, 배경색상과 배경 레이어의 체크를 해제하여 PNG로 이미지를 공유합니다.

⑤ **이미지 저장 경로 설정**: 이미지 파일이 저장될 위치를 정합니다. '이미지 저장'이나 '파일에 저장'을 누르면 됩니다. '이미지 저장'을 선택하면, '사진 보관함'에서 이미지를 볼 수 있습니다. '파일에 저장'의 경우 '나의 ipad' 탭에서 이미지 확인이 가능합니다.

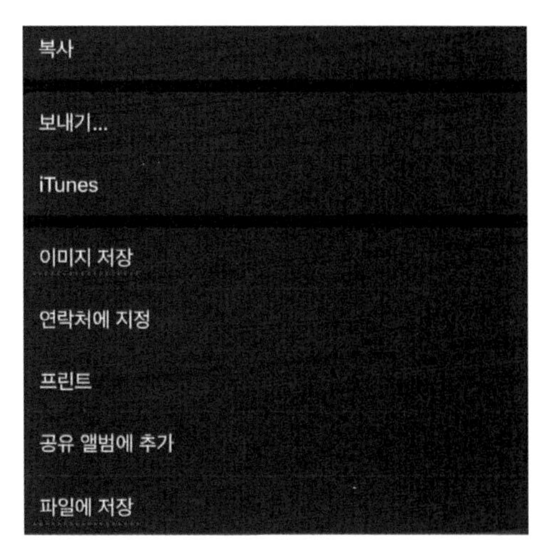

02. 이미지 벡터화하기

① **일러스트레이터 사용하기**: 애플 앱 스토어에서 '어도비 일러스트레이터'를 찾아 다운받습니다. 컴퓨터로 유료 구독 결제 했던 계정으로 로그인하여 Ai 프로그램을 엽니다.

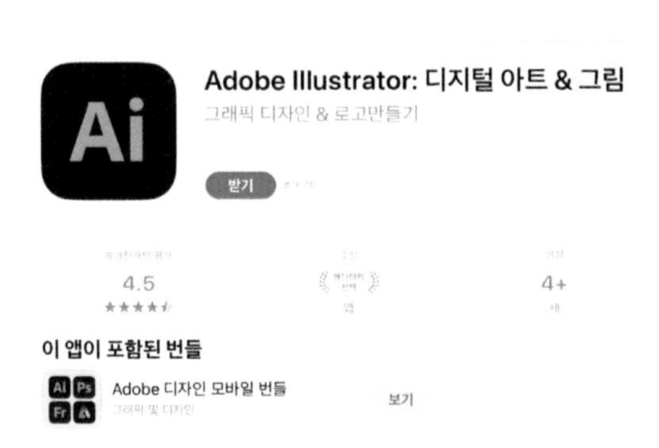

② **대지 설정하기**: 새로운 작업 시작 영역에서 '**맞춤형 크기**'를 누르면 캔버스 종류가 뜹니다. A4 캔버스 아이콘 아래 화살표를 눌러 '**가로**'방향으로 설정 합니다. 색상모드는 인쇄용의 경우 'CMYK', 웹용은 'RGB'를 선택합니다. 파일 이름을 입력하고 선택한 용지 아이콘을 터치합니다.

③ **이미지 가져오기**: 일러스트레이터 좌측 이미지 모양의 아이콘을 누르면 '**가져오기**' 탭이 나타납니다. 저장했던 캘리 이미지를 불러오기 위해 '**사진**' 또는 '**파일**'을 터치합니다.

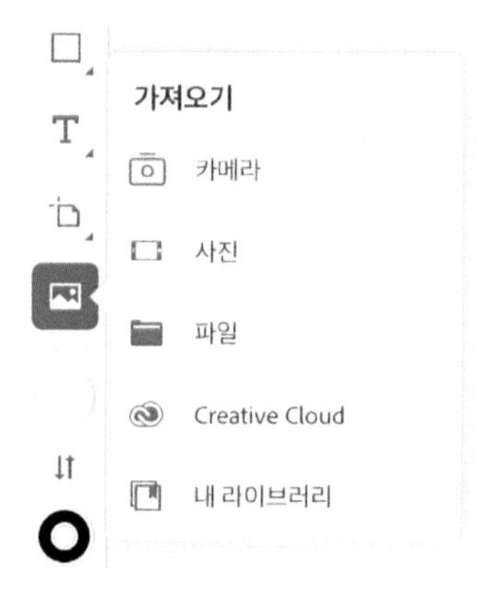

④ **이미지 벡터화 하기**: 불러온 캘리 원본이미지는 확대했을 때, 작은 점들이 모여있는 비트맵 형식으로 보입니다. 라인이 매끄러운 벡터 이미지로 만들기 위해, 다음의 우측 아이콘에서 오브젝트 탭의 '**벡터화**'를 누릅니다.

⑤ **벡터화 맞춤 설정하기**: 처음 벡터화 진행 시 이미지 소스가 스케치로 정해져 있어 흰색 배경에 검정 글씨가 있는 화면이 나타납니다. 원본 이미지대로 나올수 있도록, '소스=페인팅', '색상=15', '패스와 모퉁이=100', '노이즈=5px' 설정값을 적용합니다. 마지막으로 맨 아래 '**벡터화 확장**'을 눌러 벡터 이미지를 만듭니다.

⑥ **벡터 이미지 그룹 해제**: 이미지가 벡터화 되어 글씨 테두리에 파란색 선이 보이게 됩니다. 이 상태에서 우측 네모 아이콘의 '**그룹 해제**'를 적용합니다. 추후 배경과 글씨 이미지가 쉽게 분리되게 하기 위함입니다.

◉ **Tip**

두 가지 이상을 선택해야 할 때, 캔버스 좌측 아래에 있는 '**원 버튼**'을 길게 눌러 항목들을 선택합니다.

⑦ **배경면 삭제하기**: 글씨만 있는 벡터파일을 만들기 위해 컬러 배경화면을 삭제합니다. 배경색 부분을 터치한 상태에서, 좌측 맨 상단의 **'화살표'**를 누릅니다. 배경화면을 펜슬로 끌어 당겨 아래 회색 바의 '휴지통'을 눌러 삭제합니다.

⑧ **글씨 모양 모두 나누기**: 그룹이 해제된 상태의 글씨 부분 전체를 펜슬로 드래그하여 왼쪽 맨 상단 화살표로 선택합니다. 글씨에 남아있는 배경 조각을 삭제하기 위해 우측 모양결합 탭에서 **'모두 나누기'**를 적용합니다.

⑨ **배경 조각 제거하기**: 글씨에 남은 배경 조각을 삭제합니다. 좌측 두 번째 아이콘을 눌러 글씨에 조절점들이 나타나게 합니다. 배경 조각 속 조절점을 터치하여 나타나는 바에서 **'휴지통'**을 선택합니다. 이 과정을 반복해 모든 배경 조각을 없앱니다.

⑩ **글씨 이미지 완성 및 저장**: 완성한 이미지를 투명 png 파일로 저장 해 봅니다. 우측 상단 저장 아이콘에서 **'PNG로 빠른 내보내기'**를 눌러, 투명 배경 png 파일을 만듭니다. **'게시 및 내보내기'**는 다른 파일 형식으로 저장이 가능하게 합니다.

실물 굿즈 제작 가이드

내가 디자인한 손글씨, 손그림이 들어간 실물 굿즈를 제작 하는 법을 알아봅니다. 첫 번째 방법은 굿즈 제작을 전문으로 하는 업체에 온라인으로 주문하는 것입니다. 또 다른 방법으로는 커팅기, 프린트기 등 굿즈 제작 장비를 직접 구매하여 스스로 제작하는 방법입니다.

01. 굿즈 제작 업체 추천

① **리얼패브릭**: https://realfabric.net/

나의 디자인으로 패브릭 원단을 프린팅하여 주문 제작. 소량 프린팅도 가능함.

② **성원애드피아**: https://www.swadpia.co.kr/

명함, 봉투, 스티커, 패키지, 판촉물 등 제작. 템플릿(Ai, PSD, CDR) 제공.

③ **레드프린팅 앤 프레스**: https://www.redprinting.co.kr/ko

명함, 홍보물, 스티커, 책자, 문구류, 스탬프, 패브릭, 굿즈 등 제작. 에디터 제공.

④ **비즈프린트**: https://biz.photomon.com/index.asp

명함, 행택, 스티커, 봉투, 굿즈, 메뉴판 등 제작. 템플릿(Ai, PSD, PDF) 제공.

⑤ **비즈하우스** : https://www.bizhows.com/

명함, 스티커, 굿즈, 판촉물, 카페 용품 등 제작. 미리캔버스 연동 템플릿 제공.

⑥ **후니프린팅**: https://www.huniprinting.com/main.asp

명함, 스티커, 엽서, 책자, 문구류, 굿즈, 파우치 등 제작. 템플릿 (Ai, PSD) 제공.

⑦ **오프린트미**: https://www.ohprint.me/

명함, 스티커, 봉투, 포스터, 홍보물, 굿즈, 의류 등 제작. 템플릿 (Ai, PDF) 제공.

⑧ **보자기카드**: https://bojagicard.com/card/

청첩장, 웨딩 영상, 감사장, DIY 카드 등 제작. 템플릿 (Ai, PSD) 제공.

⑨ **마플**: https://www.marpple.com/kr/

의류, 굿즈, 패브릭, 폰 악세서리, 스티커, 홈데코 등 커스텀 제작. 편집기 제공.

⑩ **마플샵**: https://marpple.shop/kr

1인 굿즈 디자인 크리에이터를 위한 주문 제작 인쇄 쇼핑몰. 편집기 제공.

◉ Tip

'인쇄 색상값, 잉크 상태, 종이' 등 회사마다 다르므로, 각 사이트 별 공지사항을 반드시 확인해 주세요.

02. 셀프 굿즈 제작 방법

① **커팅기**: 실루엣 카메오, 크리컷과 같은 가정용 커팅기를 사용하여 다양한 굿즈를 스스로 만들 수 있습니다.

ex) 토퍼, 스티커, 모양택, 명함, 페이퍼 크래프트, 펠트 장식, 열전사 티셔츠 등

② **프린트기**: 레이저 또는 잉크젯 프린터 용 전사지에 이미지를 인쇄하여 굿즈 제작이 가능합니다. 잉크젯의 경우, 레이저 프린터와 색감에 있어 차이가 날 수 있습니다. 전사 외에도 일반 용지에 이미지를 인쇄하여 간단한 상품을 제작할 수 있습니다.

ex) 티셔츠, 에코백, 머그컵, 스마트톡, 엽서, 카드, 포스터 등

③ **평판 프레스기**: 프레스기 안에 전사 인쇄한 용지를 덧댄, 납작한 물체를 넣은 다음, 커버를 닫고 고열을 가하여 굿즈를 생산해 낼 수 있게 합니다.

④ **버튼 프레스기**: 이미지를 작은 사이즈로 인쇄하여 버튼 프레스기로 모양 틀에 재단한 후, 소형 굿즈를 만듭니다.

ex) 손거울, 핀뱃지, 냉장고 자석, 머리핀, 열쇠 고리 등

⑤ **각인기**: 패드나 컴퓨터의 데이터를 옮겨 각인기로 원하는 이미지를 새깁니다.

03. 인쇄 주의 사항

① **여백 설정**: 재단 오차 최소화를 위해, 실제 인쇄될 재단선을 작업 파일 크기 (작업선)보다 사방 2~3mm 안쪽에 둡니다. 안전선 또한 재단선 안쪽에 사방 2~3mm 배치합니다.

② **해상도**: 인쇄를 위한 해상도는 대체로 '300dpi'로 맞추나, 패브릭은 '200dpi'로 설정하기도 합니다.

③ **글자 깨기 및 이미지 래스터화**: 텍스트는 일러스트레이터에서 글자를 깨어 도형화합니다. 텍스트를 마우스 우측 버튼으로 누른 뒤, 'Creat Outlines'를 선택합니다. 이미지는 Object의 'Rasterize'를 클릭하여 인쇄 가능한 형태로 래스터화합니다.

▲ 작업선: ————

▲ 재단선: ————

▲ 안전선: ————

MEMO